Le policier fantôme

ŒUVRES PRINCIPALES

Leslie Charteris

Une aventure du Saint
Le policier fantôme

Traduit de l'anglais
par Sophie Troubac

Librio

Texte intégral

Titre original
«The Policeman with Wings» in *Enter the Saint*, 1930
© 1930 by Leslie Charteris
© 1997, EJL pour la traduction française

1

Tout le monde a désormais entendu parler du Saint. On a estimé — c'est-à-dire les gentlemen industrieux voués à ce genre d'activités ont estimé — que si toutes les coupures de presse relatives au Saint étaient mises bout à bout, elles relieraient le coin sud-est du Woolworth Building de New York à un point situé à quarante-deux centimètres à gauche du chasseur posté à l'entrée de l'hôtel Mayfair sur Berkeley Street à Londres. Ce qui, ainsi qu'il fut souligné à l'époque, ne tend qu'à prouver que la profondeur du gouffre entre riches et pauvres peut être matériellement comblée par les efforts vigoureux d'une presse démocratique.

Quoi qu'il en soit, il eût été déraisonnable d'espérer que le Saint pût demeurer à jamais protégé par l'anonymat dans lequel il avait fait ses *débuts* *. Les policiers, en dépit des écrits diffamatoires des auteurs de romans à suspense, possèdent un certain degré d'intelligence et un degré plus large encore de laborieuse patience. Et les activités du Saint constituaient une nette provocation.

Il se trouve que l'épisode particulier dans lequel l'inspecteur-chef Teal commence à suspecter Simon Templar d'en savoir plus sur le Saint qu'il ne veut bien l'admettre, n'est pas — selon les objectifs de

* En français dans le texte.

cette chronique — d'un intérêt débordant. Qu'on nous permette cependant de rapporter qu'au retour d'un des nombreux voyages qu'il effectuait à l'étranger, le Saint découvrit des raisons de penser que des intrus s'étaient introduits dans son appartement durant son absence.

Les détectives qui avaient découvert sa résidence de Brook Street l'avaient fouillée de fond en comble ainsi que l'exigeaient leurs fonctions. Ils n'avaient rien trouvé mais avaient laissé derrière eux des traces évidentes de leur passage.

— Ils auraient pu ranger un peu avant de partir, remarqua tranquillement le Saint en contemplant le désordre.

Orace, son fidèle domestique, passa le pouce sur la couche de poussière accumulée sur la cheminée en émettant quelques borborygmes étranglés manifestant son dégoût.

Il poursuivit cette nuit-là, longtemps après que son maître se fut couché, une traque acharnée contre la saleté. Le lendemain matin, se dirigeant d'un pas hésitant vers la salle de bains, le Saint aperçut à travers l'entrebâillement d'une porte l'éclat d'un salon devenu comme par enchantement propre et parfaitement rangé. Il décida de poursuivre son investigation plus avant et finit par découvrir Orace occupé à faire frire des œufs à la cuisine.

— Tu nous as fait un véritable nettoyage de printemps, à ce que je vois, observa Simon.

— Ouais, répliqua Orace, bourru. Le p'tit déjeuner s'ra prêt dans une minute.

— Brave type, lâcha le Saint avant de s'éloigner.

A la suite de cet épisode, le Saint refusa de se comporter en homme traqué. Il sortit et se livra à ses occupations légales. En conséquence de quoi il s'écoula cinq jours avant que la police ne remarque son retour. Il est des situations où l'audace la plus effrontée est le plus efficace des déguisements.

Mais cela ne pouvait durer. Les agents de police

existent. Ils patrouillent régulièrement et le moindre de leurs devoirs est de transmettre dans leurs rapports le récit de tous les faits inhabituels qu'ils ont pu constater. Une nuit arriva où le Saint, jetant un coup d'œil derrière ses rideaux, aperçut deux hommes en chapeau melon observer longuement et avec la plus grande attention ses fenêtres qui auraient dû être plongées dans une profonde obscurité. Il comprit alors qu'il lui restait peu de temps avant que les Autorités n'étendent leur main inquisitrice sur ses activités. Mais il ne dit rien à ce moment-là.

Roger Conway se présenta à l'heure du déjeuner le jour suivant et surprit le Saint en robe de chambre. Simon Templar fumait un fin cigare, les pieds appuyés sur le rebord de la fenêtre ouverte. A l'extraordinaire sainteté de son expression, Roger comprit immédiatement que quelque chose s'était passé.

— Teal est venu, fit Roger après un regard aigu sur la pièce.

— Claud Eustace en personne, reconnut le Saint avec un murmure d'admiration. Comment l'as-tu deviné ?

— Il y a un chewing-gum abandonné dans le cendrier et ce petit morceau de papier rose dans la cheminée a certainement contenu celui avec lequel il est reparti. Si j'applique les méthodes de Sherlock Holmes...

Le Saint hocha la tête.

— Il me semble que tu développes une dangereuse tendance à l'intelligence, mon cher Roger. Oui, Teal m'a rendu une petite visite. Je le sais parce qu'il me l'a dit lui-même.

— Menteur ! s'exclama monsieur Conway en riant.

— Il me l'a avoué au téléphone, poursuivit le Saint, imperturbable. Je l'ai appelé, je lui ai posé la question et il m'a répondu.

— Il n'a pas fait ça!

— Au contraire. Je me suis fait passer pour Barney Malon, du *Clarion*. J'ai prétendu avoir entendu dire qu'il était sur la piste du Saint. Je lui ai demandé s'il avait une déclaration à faire à ce sujet. « Pas encore », a-t-il répondu. Teal est copain avec Barney. « Mais je vais m'en occuper ce matin. Viens me voir après le déjeuner, je te raconterai. » « Parfait », ai-je dit. Et voilà.

— Tu as du culot, Simon.

— Ça n'était pas très compliqué, fiston. J'ai ensuite téléphoné à mes avocats. Oncle Elias s'est précipité ici et m'a tenu la main pendant que j'attendais les Représentants de la Loi qui se sont présentés aux alentours de 11 h 30. Une vive discussion s'est engagée au terme de laquelle Teal est rentré chez lui. J'espère qu'il n'a pas attendu Barney trop longtemps, acheva le Saint pieusement.

Roger Conway s'assit et chercha ses cigarettes.

— Il s'est laissé faire?

— Comme un agneau. Dans tous nos exploits, vois-tu, ses accusations se basent sur les seuls témoignages des plaignants — et aucun desdits plaignants ne semble pressé d'engager des poursuites judiciaires. Alors j'ai encouragé Teal à persévérer et à essayer de prouver quelque chose. Je lui ai sorti la tirade des citoyens-innocents-injustement-accusés. Bien sûr il bluffait. C'est tout ce qu'il pouvait faire. Oncle Elias et moi lui avons fait comprendre que sa tentative était des plus hasardeuses.

— Et vous vous êtes quittés bons amis?

Le Saint haussa les épaules.

— J'appellerais plutôt ça une trêve. Il m'a demandé si j'étais sur un coup. Je lui ai répondu que je ne voyais pas de quoi il parlait. Je lui ai dit aussi que nous étions animés de si bonnes intentions que la lumière de nos vertus nous faisait légèrement briller dans l'obscurité.

— Et c'est tout?

— Il m'a adressé un avertissement tout à la fois solennel, menaçant, sévère et dans le plus pur respect des termes de la loi. Car bien sûr, il ne m'a pas cru une seconde. Et pourtant, je ne jurerais pas ne pas l'avoir vu faire un clin d'œil. Oncle Elias n'a rien vu. Mais j'ai bien peur que celui-ci n'ait été passablement secoué par toute cette conversation. Enfin... Si tu sonnes deux fois, Orace comprendra...

Ils trinquèrent solennellement au-dessus des chopes qui arrivèrent en réponse à leur appel. Roger Conway reprit alors la parole.

— J'ai un petit problème qui pourrait nous intéresser...

— Professionnel ?

— On peut voir ça de cette façon. C'est en rapport avec une fille que j'ai rencontrée à Torquay l'été dernier.

Simon soupira.

— Tu t'arranges toujours pour faire leur connaissance dans les endroits les plus incongrus, se plaignit-il. Si tu l'avais rencontrée à Gotham par exemple, j'aurais eu une petite chanson toute prête pour toi. Quand tu es entré tout à l'heure, j'étais en train de peaufiner un petit refrain au sujet d'une créature explosive de Gotham qui assassine ses victimes — de jeunes hommes — après leur avoir fait l'amour. Un jour qu'elle s'apprête à faire de même avec une brute au cœur dur, il l'attrape et lui administre la raclée qu'elle mérite. Mais que cette digression ne te coupe pas dans ton élan. Tu disais ?

— J'ai donc rencontré cette fille à Torquay...

— Est-elle adepte de l'amour libre ?

— Mon cher monsieur Templar...

— J'étais en train de me souvenir, poursuivit le Saint sans le moindre repentir, d'une autre fille que tu as rencontrée à Torquay qui croyait en l'amour libre. Elle était convaincue du bien-fondé de cette théorie jusqu'à ce qu'elle tombe sur toi... Mais tu me parlais de quelqu'un d'autre.

— Elle a un oncle...

— Non !

— Elle a un oncle, qui vit avec elle et possède une maison à Newton.

— Ils ont un abbé là-bas, non ?

— La ville s'appelle en effet Newton-l'Abbé. L'oncle a fait construire cette maison il y a bientôt sept ans. Il avait l'intention de s'y installer pour y passer le reste de ses jours mais aujourd'hui, un homme insiste pour la lui acheter.

— Insiste ?

— Oui, c'est à peu près ça. Cet homme...

— Soyons clairs, fiston. Comment s'appelle l'oncle ?

— Sebastian Aldo.

— Alors il doit être riche.

— Il n'est pas malheureux.

— Et Moustaches, le type qui veut acheter la maison ?

— Nous ne connaissons pas son nom. Il envoie son secrétaire, une excroissance huileuse répondant au nom de Gilbert Neave.

Le Saint se cala plus confortablement dans son fauteuil.

— Alors, cette histoire ? s'enquit-il avec curiosité.

— Elle n'est pas très longue — ou ne l'était pas jusqu'à aujourd'hui. L'oncle refusant de vendre, Neave a monté et monté les enchères, offrant jusqu'à vingt mille livres, je crois. Il s'est montré si insistant que l'oncle a perdu son sang-froid et l'a jeté dehors.

— Et alors ?

— Trois jours plus tard, l'oncle faisait des boutures dans son jardin quand son chapeau lui est tout à coup tombé de la tête. Lorsqu'il l'a ramassé, il a découvert qu'une balle l'avait traversé de part en part. Une semaine plus tard, il était au volant de sa voiture lorsque celui-ci s'est détaché. S'il avait conduit plus vite, il serait mort. Une semaine après, tous les habitants de la maison sont mystérieusement tombés malades. Les analyses ont révélé la présence d'arsenic dans le lait. Deux jours plus tard, Neave téléphonait pour demander si l'oncle n'avait pas changé d'avis à propos de la vente.

— Oncle Sebastian l'a de nouveau envoyé promener ?

— Betty m'a dit qu'il avait arraché les fils du téléphone.

— Qui est Betty ?

— Sa nièce, la fille que j'ai rencontrée à Torquay.

— Je vois. Une adorable jeune fille du nom de Betty faisait tellement de bruit en mangeant ses spaghettis qu'elle rendit le *maître d'hôtel** complètement fou et les serveurs, des âmes sensibles, passablement... embarrassés. Et quand a-t-on enterré l'oncle ?

Roger Conway lisait le journal du soir qu'il avait acheté à 12 h 30.

— Betty m'a raconté tout ça dans ses lettres pendant que nous étions à Maidenhead, fit-il. Tu peux lire la suite là-dedans.

Simon prit le journal.

Roger lui indiquait la colonne mais son geste était superflu. Un titre attirait l'attention. Rien de plus normal s'il fut la première chose à capter le regard d'un homme comme le Saint car avec ce simple titre, un secrétaire de rédaction avait fait d'un mystère somme toute banal un véritable événement à sensation.

« Le policier fantôme », clamait le journal. Le nœud de l'affaire était qu'un policier s'était rendu chez un certain Sebastian Aldo trois jours auparavant. Un policier tout ce qu'il y a de plus ordinaire, selon le témoignage de la domestique qui l'avait fait entrer mais un policier des plus inhabituels ainsi que le prouva la suite des événements. En effet,

* En français dans le texte.

après un court entretien, monsieur Aldo avait quitté son domicile dans son véhicule en compagnie de l'agent de police, assurant sa domestique qu'il serait de retour pour le déjeuner. Mais on n'avait depuis lors revu ni le policier ni monsieur Aldo. La police de tous les districts environnants, alertée pour la circonstance, avait déclaré qu'aucun de ses agents n'était porté disparu et qu'aucun n'avait reçu la mission d'aller rendre visite à monsieur Aldo.

— Je remarque, fit le Saint songeur, que miss Aldo se trouvait à Ostende pendant les événements et n'est revenue que pour apprendre la disparition de son oncle. C'est en tout cas ce que prétend le journal.

— Elle m'avait dit qu'elle passerait une semaine à Ostende au mois d'août, chez des amis. Tu as une idée ?

— Des millions, répliqua le Saint.

La porte s'ouvrit et un visage parut dans l'entre-bâillement.

— Le déj'ner est servi dans une minute, fit la tête avant de disparaître.

Le Saint se leva.

— J'ai des millions d'idées, mon vieux Roger, murmura-t-il. Mais aucune d'elles, pour l'instant, ne me dit pourquoi un quidam devrait être aussi passionnément intéressé par une maison précise de Newton-l'Abbé. D'un autre côté, si tu voulais bien me fredonner un petit air pendant que je m'habille, je pourrais produire quelque chose de brillant avant d'avaler le cocktail que tu me prépareras en chantant.

Il disparut pour réapparaître après un laps de temps extraordinairement court et prendre le Martini que Conway versait du shaker dans les verres tandis qu'Orace arrivait un plat à la main. La rapidité du Saint à se vêtir était la source intarissable de l'admiration envieuse de tous ses amis.

— Nous acceptons l'affaire, décréta le Saint en

12

levant son verre à la lumière pour l'inspecter d'un œil expert, et nous avons une idée géniale.

— Ce qui veut dire?

— Après le déjeuner, nous sortirons dans le vaste monde pour nous procurer un véhicule respectable grâce auquel nous nous rendrons à Newton-l'Abbé cet après-midi même.

— Nous arriverons juste pour dîner avec Betty.

— Si tu insistes.

— Tu as quelque chose contre?

— Simplement que, te connaissant, il me semble que pour son bien...

— C'est une fille bien, rétorqua Roger en évoquant ses souvenirs.

— Il n'y a pas longtemps qu'elle te connaît, observa le Saint.

— Santé! fit Conway en levant son verre.

— Honk! Honk! lui répondit le Saint.

Ils burent.

— Quand nous aurons acheté cette voiture, reprit le Saint, nous poursuivrons notre expédition dans le vaste monde à la recherche d'un endroit où nous procurer un uniforme de policier pour toi.

Roger le dévisagea avec stupéfaction.

— Un uniforme! répéta-t-il faiblement.

— Le policier fantôme, lui rappela le Saint tranquillement. Je crois que tu auras un grand succès. C'est une partie de mon idée géniale.

Et le Saint, les mains sur les hanches, de toute sa hauteur et dans son costume de toile légère gris immaculé, lui adressa un large sourire. Ses cheveux étaient coiffés à la perfection, ses yeux bleu clair pétillaient de malice et son visage hâlé rayonnait d'un enthousiasme juvénile aussi comique que délirant.

A cette époque, le Saint était d'une humeur inhabituellement sobre. Il atteignait sa vingt-huitième année et dans toute son existence, il en avait vu plus que la plupart des hommes en verraient en quatre-vingts ans. Et il avait fait plus de choses qu'ils n'en feraient jamais en cent quatre-vingts. Il ne se sentait pourtant ni comblé ni accompli. Il n'était alors qu'au seuil de sa destinée. Mais à travers la porte entrouverte devant lui, il lui semblait parfois apercevoir des horizons plus vastes. Cette humeur résultait cependant moins d'un engourdissement de son énergie impétueuse que de l'acquisition pour elle de bases plus solides. Il restait le Saint — ce dandy désinvolte au cœur de croisé, un combattant qui s'élançait sur le champ de bataille sourire aux lèvres, plein de témérité, allègre et bravache, un conducteur d'hommes inspiré et aimé, né avec le son triomphant des trompettes retentissant à ses oreilles. Et tous le suivaient.

Il débordait ce matin-là de l'impatience d'agir mais prit néanmoins le temps de déjeuner. Il alluma ensuite une cigarette qu'il coinça entre ses lèvres souriantes avant de se lever, incapable de se contenir plus longtemps.

— Allons-y, s'écria-t-il.

Il assena une bonne tape sur l'épaule de Conway et ils sortirent bras dessus, bras dessous. Le Saint aurait pu lui annoncer qu'ils allaient au Sénat de Tombouctou, Roger Conway l'aurait suivi avec le même enthousiasme.

Ce fut ainsi qu'ils quittèrent l'appartement.

2

Si Simon Templar avait une faille, c'était malheureusement celle d'être né à une mauvaise époque. A dire vrai, dans toutes les catégories des comportements modernes — à l'exception de la conduite délurée de voitures puissantes, d'acrobaties suicidaires en aéroplane et du maniement adroit des gants de boxe — le Saint était allégrement bon à rien. Le golf l'ennuyait. Il jouait au tennis avec une ardeur parfaitement inefficace et dénuée de toute honte, passant sans aucune logique de semaines de totale nullité à des instants rares au cours desquels il faisait preuve d'une *maestria* positivement époustouflante mais d'une extrême brièveté. Dans n'importe quelle partie de cricket, il était toujours prêt à faire chou blanc ou à lancer sa balle loin des piquets. Ses prouesses au base-ball, héritées d'une expédition qui l'avait conduit en Amérique, arrachaient des larmes à tous les participants.

Mais placez un fleuret entre les mains de Simon Templar, jetez-le dans des rapides aux cascades mortelles, invitez-le à escalader un arbre ou la façade d'un gratte-ciel, faites-le monter sur le cheval le plus indomptable que la terre ait jamais porté, demandez-lui de transpercer une carte de visite d'un jet de couteau ou de tirer sur les trois feuilles d'un as de trèfle à vingt pas, mettez en doute sa capacité à transpercer d'une flèche une reine-claude tenue entre votre pouce et votre index à la même distance, alors vous aurez des souvenirs à raconter à vos petits-enfants.

Naturellement qu'il était né hors de son temps ! Il aurait dû vivre à n'importe quelle autre époque que la sienne. N'importe quelle époque au cours de laquelle sa stupéfiante aptitude pour toutes ces activités l'aurait porté au premier rang de ses contemporains.

Il était cependant impossible de relever le moindre anachronisme dans son attitude. Parce qu'il ne s'était jamais fait l'esclave de cette regrettable erreur. Le Saint s'était bâti un univers correspondant à ce qu'il était.

C'est à juste titre que l'on dit que les aventures n'arrivent qu'aux aventuriers. Autour de Simon Templar régnait cette atmosphère indéfinissable d'esprit chevaleresque et d'imprévus qui n'est donnée qu'à un nombre restreint d'élus au cours des âges. Il attirait les aventures aussi fatalement qu'un aimant la limaille.

Mais nous laisserons le soin aux générations futures de décider combien des aventures auxquelles il fut confronté étaient dues à sa seule personnalité. Car généralement l'aventure ne peut naître que de la rencontre entre deux aventuriers : le plus grand d'entre eux serait déconcerté en face d'un minable. Et ce même minable ne trouverait rien de vraiment périlleux à croiser le chemin du plus grand des aventuriers de tous les temps. Le Saint avait découvert que les germes de l'aventure poussaient sous ses pas. Il en voyait les bourgeonnements avant même que quiconque eût remarqué quoi que ce fût. Et c'était lui qui menait ces pousses fragiles à maturité, les faisant éclore dans toute leur splendeur avec le soin attentif d'un passionné.

Grâce à son génie si personnel, le Saint avait déjà percé le mystère de l'affaire du policier fantôme.

— Une poire, fit le Saint avec bienveillance en lançant la Desurio à toute allure sur les routes du Devonshire, l'aiguille du compteur hors cadre. Une poire comme toi, par exemple, mon mignon, poursuivit-il sur le même ton, n'aurait jamais songé à une chose pareille.

— Sans aucun doute, acquiesça Roger chaleureusement alors que le Saint précipitait la Desurio entre deux voitures, ne laissant que la largeur d'une boîte d'allumettes les séparer des véhicules la frôlant de chaque côté.

— Une poire, poursuivit le Saint avec la même bienveillance, aurait estimé qu'il suffisait largement ou — petit a — de confier Betty à la relative sécurité de la maison de sa tante à Stratford...

— Upon-Avon.

— Upon-Avon ou — petit b — de nous retrancher dans la maison de son oncle à Newton-l'Abbé et nous préparer à tenir un siège contre l'ennemi.

— Une poire comme moi aurait en effet songé à quelque chose comme ça, confessa Roger humblement.

Le Saint ralentit, le temps de doubler avec mépris une Packard qui se traînait à quarante.

— Mais ce plan de poire, poursuivit le Saint, ne nous mènerait pas loin. Je peux t'assurer qu'avec une surveillance de tous les instants et en visant parfaitement, nous ruinerons les tentatives d'invasion de l'ennemi aussi longtemps que nous serons sur place. Ce qui, si Betty est telle que tu l'as décrite, devrait nous occuper des semaines. Mais nous ne saurions toujours pas qui se cache derrière monsieur Neave — si ce n'est monsieur Neave lui-même.

— Tu suggères donc...

— Que nous portions la bataille dans le camp adverse. Considérons le point de vue de celui qui se cache derrière monsieur Neave. Considérons, répéta-t-il, la position de celui qui se cache derrière monsieur Neave, que nous appellerons Moustaches pour plus de commodité. Considérons donc la position de Moustaches. Il a imaginé le délicieux stratagème d'enlever quelqu'un par le biais d'un faux agent de police — une idée remarquable. Il ne viendrait en effet à l'esprit de personne de suspecter un policier. Je suis prêt à parier que ce prétendu policier a tout bêtement prétexté qu'ils avaient arrêté un individu soupçonné d'être mêlé à l'empoisonnement du lait et qu'il serait bien obligé si monsieur Aldo voulait se donner la peine de l'accompagner jusqu'au commissariat afin de savoir si l'accusé ne serait pas ce monsieur Neave en question. Et l'oncle a été enlevé sans le tintouin et tous les ennuis habituellement liés aux enlèvements de force.

— Tu suggères que nous introduisions notre propre policier dans l'affaire ?

— Évidemment. Songe à la publicité ! Quelques jours après l'enlèvement de l'oncle, la nièce disparaît à son tour avec un mystérieux policier. J'ai peur que cela ne fasse passer Betty pour une fille passablement stupide mais nous n'y pouvons rien. Le fait est que Moustaches, dans sa retraite, lira l'article du journal et comprendra que quelqu'un marche sur ses plates-bandes. Il s'empressera alors de s'armer jusqu'aux dents et prendra ses dispositions pour nous découvrir et nous descendre.

— Et nous l'y aiderons en laissant derrière nous toute une série d'indices conduisant directement dans le piège que nous lui aurons tendu.

Le Saint soupira.

— Tu progresses, comme l'actrice dirait à l'évêque, murmura-t-il. Ce qui te sert de cerveau est en train de prendre des proportions absolument phénoménales. Alors vas-y et trouve les détails du piège dans lequel nous allons précipiter Moustaches tout seul. Parce que en ce qui me concerne, j'ai assez pensé pour aujourd'hui et je suis fatigué.

Et le Saint entreprit avec le plus grand sérieux de se concentrer sur la tâche d'annihiler la distance qui les séparait de leur but. Durant le même temps et après quelques prières, Roger Conway se résolut à fermer les yeux et poursuivre le fil des pensées que le Saint avait déroulé.

Ils interrompirent leur voyage à Shaftesbury pour faire le plein. Au moment de repartir, Roger approcha du véhicule avec appréhension. Mais il avait toujours su faire preuve de tact.

— Tu ne voudrais pas que je prenne le volant ? hasarda-t-il.

— Je ne suis pas fatigué, répliqua le Saint avec désinvolture.

— Tu viens de dire que tu l'étais trop pour penser.

— Quand je conduis, je ne pense pas, objecta Simon plein d'à-propos.

Roger aurait aimé pouvoir dire qu'il le croyait aisément mais la repartie lui vint trop tard.

Ils couvrirent les cent cinquante kilomètres restants en moins de deux heures. Au moment où les horloges sonnaient la demie de sept heures, ils s'engagèrent sur le chemin de la maison que Roger indiqua.

— Je réalise tout à coup, fit Simon en écrasant le frein, que nous aurions dû envoyer un câble pour prévenir de notre arrivée. Cette fille sait-elle au moins que tu es rentré en Angleterre?

Roger hocha la tête.

— Non, je ne lui ai pas dit que nous étions de retour.

Le Saint s'extirpa de la voiture, s'étira et ils se dirigèrent ensemble vers la maison.

Un visage les regardait approcher derrière une fenêtre du rez-de-chaussée et avant qu'ils aient atteint le perron, la fenêtre s'ouvrit en grand. Une voix brusque et suspicieuse s'en échappa.

— Je suis désolée, mademoiselle Aldo est sortie.

Le Saint s'arrêta.

— Où est-elle allée?

— Au commissariat.

Simon étouffa un juron.

— Pas avec un policier? protesta-t-il.

— Si. Elle est partie avec un policier, répondit la femme. Mais celui-là était un vrai. Mademoiselle Aldo a téléphoné au commissariat pour s'en assurer. Ils ont trouvé monsieur Aldo.

— Vivant? demanda Roger.

— Oui, vivant.

Le Saint, qui examinait le ciel avec attention, tourna lentement sur ses talons, comme s'il suivait une piste dans les nuages.

— Eh bien, murmura-t-il doucement, c'est encore pire que je n'imaginais.

— Elle a téléphoné au commissariat, intervint Roger.

— Oui, fit le Saint, elle a téléphoné.

Le temps qu'il achève sa phrase, il avait fait un tour complet.

— Ce qui, poursuivit-il, est exactement ce que

n'importe quel stratège aurait attendu d'une fille intelligente, en la matière.

— Mais...

Le bras du Saint se tendit brusquement comme un poteau indicateur.

— Les fils du téléphone passent au-dessus de ces champs. Et, à moins que je ne me trompe lourdement, la ligne a été coupée dans ce bosquet là-bas. Un homme installé avec un appareil...

— Eh ben m... mince alors! lâcha Roger avec une retenue surprenante.

Mais Simon se dirigeait déjà vers la voiture.

— Depuis combien de temps est-elle partie? lança-t-il à la domestique désormais terrorisée.

— Il n'y a pas cinq minutes, monsieur. J'étais sur le point de servir le dîner. Elle a pris sa voiture...

— Dans quelle direction?

La femme la lui indiqua du doigt.

Le Saint embraya au moment où Roger se jetait dans le siège à ses côtés.

— Quels sont les paris, Roger? fit-il, alerte. S'ils allaient vers Exeter, nous les aurions vus. Par conséquent...

— Ils vont vers Bovey Tracey. Sauf s'ils ont bifurqué vers Ashburton...

Le Saint arrêta la voiture si brusquement que Roger faillit être projeté en avant.

— Prends le volant. Tu connais la région, moi pas. Prends tous les risques que tu veux, peu importent les dégâts. Je parie qu'ils ont pris la direction d'Ashburton et de Two Bridges. On peut disparaître à Dartmoor aussi bien que n'importe où en Angleterre.

Conway était derrière le volant quand Simon atteignait l'autre côté de la voiture. Il démarra au moment où le Saint sautait sur le marchepied.

Puis celui-ci alluma deux cigarettes avec le plus grand calme — une pour lui, l'autre pour Roger.

— C'est très aimable à Moustaches, fit-il avec cet

optimisme irresponsable que rien ne pouvait ébranler. Il fait tout le travail pour nous, fournir le policier et le reste. Quand je pense à l'argent que m'a coûté ton équipement...

— *Si* nous le rattrapons, fit Conway, penché avec concentration sur le volant, tu pourras toujours en discuter avec lui.

— Mais nous allons l'attraper, riposta le Saint sûr de lui.

Si Simon Templar était un conducteur imprudent, Roger, quand l'occasion se présentait, n'avait rien à lui envier. Et, ce qui leur était plus utile qu'un simple record de vitesse, Roger connaissait chaque détail de la route et aurait pu conduire les yeux fermés. La Desurio bondissait littéralement sur le macadam. Conway prenait les virages sur deux roues sans perdre une seconde le contrôle de son véhicule et se frayait un passage dans la circulation sans aucun égard pour les nerfs de quiconque. Il faut dire que les nerfs étaient un détail anatomique dont le Saint ne connaissait que le nom.

— C'est incroyable comme ce genre d'événements nous poursuit, médita Templar d'une voix neutre alors que la Desurio évitait de justesse une collision de plein fouet. Nous naviguons dans un mélodrame permanent. Pourquoi ne me laisse-t-on pas vivre l'existence paisible dont j'ai toujours rêvé ?

Roger resta silencieux. Il savait exactement pourquoi *sa* vie n'avait rien de paisible. Il était l'ami de Simon Templar et celui-ci propageait le mélodrame autour de lui comme d'autres les maladies infectieuses. C'était aussi simple que cela.

3

Mais le Saint n'éprouvait aucun remords. Il n'aurait pas compris, si la réflexion lui avait été faite, qu'on lui reprochât l'aventure fortuite dans laquelle ils se trouvaient embarqués. La jeune fille était une amie de Roger, l'histoire n'impliquait, jusqu'à présent, que Roger et les gratifications affectives, à supposer qu'il y en eût, lui reviendraient. En conséquence de quoi il était raisonnable de considérer Roger comme seul responsable de toute l'affaire.

Quoi qu'il en soit, le Saint était satisfait.

Il s'adossa à son siège, les paupières à demi closes, et savoura sa cigarette. Simon Templar avait le don de savoir se détendre instantanément. Ce qui lui permettait de profiter pleinement des intermèdes de relative accalmie entre chaque moment d'action. Ainsi, lorsque la crise suivante surgissait, il retrouvait en une seconde et sans transition sa vigilance frémissante. C'était là, disait-il — en refusant de prendre quoi que ce soit aussi sérieusement qu'il aurait dû — sa façon de rester jeune.

En fait, il était en train d'élaborer une chute réellement brillante pour une nouvelle histoire indécente concernant une girafe lorsque Roger s'exclama :

— Une voiture devant...

— Non! objecta le Saint rêveusement. Allons-nous la percuter ?

Mais ses yeux étaient grands ouverts et il aperçut immédiatement le véhicule sur la crête de la côte qui leur faisait face.

— Quelle marque ?

— Une Morris, comme la voiture de Betty. C'est un homme qui conduit. Il y a une fille sur le siège passager mais le type porte un chapeau mou ordinaire...

— Chère vieille andouille, railla le Saint gentiment. Il est évident qu'il portait une veste ordinaire sous sa tunique et un chapeau mou dans sa poche. Pour être prêt à se changer au premier détour un peu tranquille. Des policiers conduisant des véhicules banalisés en uniforme ne sont pas des plus discrets. Il se pourrait bien que ce soit notre homme. Appuie sur le champignon, mon garçon!

— Tu parles, gronda Roger, à moins de lui faire traverser le plancher, l'accélérateur n'ira pas plus loin !

— Alors fais-lui traverser le plancher, ordonna le Saint avec optimisme avant d'allumer une autre cigarette.

La voiture était hors de vue mais Roger lança la Desurio sur le versant suivant avec toute la force de ses quatre-vingts chevaux. Une demi-minute plus tard, ils atteignaient la crête et dévalaient la pente dans un rugissement de moteur et un tourbillon d'air sifflant. Ils se précipitèrent dans la descente suivante et attaquèrent la côte qui lui succédait dans un grondement assourdissant...

— En Angleterre, remarqua le Saint d'une voix posée dont il se serait servi pour énoncer un principe philosophique, la limitation de vitesse est fixée à vingt miles à l'heure.

— Vraiment ?

— Oui, vraiment.

— Alors j'espère que ça leur conviendra.

— Quelle prévenance, murmura le Saint, quelle admirable prévenance de votre part, monsieur Conway !

La Desurio dévora la colline et prit le virage au sommet sur les chapeaux de roues. Il y eut une seconde à couper le souffle durant laquelle, par un miracle que personne ne pourra jamais expliquer, ils évitèrent d'être écrasés entre deux cars venant de directions opposées. Ils rasèrent le virage suivant pour atterrir dans la sécurité temporaire d'une portion de route droite sur laquelle, durant un instant, ne se trouvaient que la Desurio et la Morris l'une derrière l'autre, à moins de cinq cents mètres d'écart.

La Desurio engloutit l'intervalle qui la séparait de l'autre véhicule comme un monstre affamé une proie sans défense.

— Je vois son numéro ! s'exclama la voix victorieuse de Roger. C'est la voiture de Betty...

— Parfait, mon grand!

Mais il ne vint jamais à l'esprit du Saint d'abandonner sa cigarette à demi consumée.

Un autre virage, pris à une allure défiant la mort, puis une autre ligne droite et la Morris ne se trouvait plus qu'à trente mètres devant eux.

Le klaxon retentit sous la main de Roger et l'homme au volant de la Morris leur fit signe de passer.

— Ralentis en arrivant à sa hauteur, ordonna le Saint. Je vais passer à l'abordage. Prêt?

— Oui.

— Alors on y va!

Le Saint ouvrit sa porte en un clin d'œil. Il se glissa sur le marchepied et y resta le temps de refermer soigneusement la portière derrière lui. Le nez de la Desurio était à hauteur de l'aile arrière de la Morris. Mais il prit encore le temps de finir tranquillement sa cigarette.

Au cours de ces occasions, le *sang-froid** du Saint aurait fait passer une glacière pour un four à gaz surchauffé.

Le conducteur de la Morris aperçut la scène dans son rétroviseur et prit de la vitesse. Le Saint vit la main de l'homme quitter le volant et plonger vers sa poche.

— Laisse-toi dépasser dès que je serai monté, lâcha le Saint. *Maintenant!*

La Desurio arriva à hauteur de l'autre véhicule, ralentit et resta là.

Les deux voitures avancèrent quelques instants côte à côte, séparées par une trentaine de centimètres à peine, à quatre-vingts kilomètres à l'heure, et le Saint fit un pas vers le marchepied de la Morris comme il aurait avancé sur un banal chemin de terre.

Dans un crissement de freins mis à rude épreuve,

* En français dans le texte.

la Desurio passa instantanément à l'arrière. C'était à peine trop tôt, car le Saint ayant saisi le volant d'une main et frappé le conducteur à deux reprises de l'autre, la Morris fit un brusque écart au milieu de la route...

Le conducteur s'écroula sur le côté et son arme glissa de ses doigts sur le plancher qu'elle heurta avec un bruit mat.

Simon redressa le véhicule d'une main sûre.

A la suite des deux crochets foudroyants que lui avait administrés le Saint à la mâchoire, le conducteur s'était évanoui et son pied avait lâché l'accélérateur. La Morris avait vite perdu de sa vitesse. Ce qui était heureux car ils n'auraient jamais pu prendre le virage suivant.

Après ce virage, à une distance de vingt mètres, un chemin naissait de la route principale. Le Saint déclencha le clignotant puis, tendant le bras, saisit le frein à main et tourna le volant. Ils remontèrent un peu sur le chemin puis s'immobilisèrent. Roger gara la Desurio derrière eux.

Au cours de cette cascade aussi violente qu'effroyable, la jeune fille n'avait pas bougé. Ses paupières étaient fermées comme si elle était endormie. Le Saint l'observa pensivement avant de fouiller avec la même concentration les poches du conducteur inconscient.

Roger, qui s'était dépêché, la secouait en prononçant son nom désespérément. Il releva les yeux sur le Saint.

— Ils l'ont droguée.

— Oui, constata le Saint en examinant attentivement une petite seringue hypodermique en verre à demi remplie d'un liquide rosâtre. Ils l'ont droguée, ça ne fait aucun doute.

Suivant le fil de ses pensées, il souleva le bras droit du conducteur, remonta sa manche, introduisit l'aiguille dans la chair offerte et appuya sur le piston. La seringue vide atterrit dans un fossé opportun.

— Je crois, Roger, annonça ensuite le Saint, que nous devrions maintenant nous dépêcher. Sors ton sac de la voiture et enfile l'uniforme de policier. Je veux te voir sur ton trente et un.

— Où allons-nous ?

— Je vais y réfléchir pendant que tu te changes. La seule chose certaine, c'est que nous devons partir immédiatement. La domestique a déjà dû donner l'alerte et nous devons filer avant que les routes ne soient bloquées. Dépêche-toi, mon chérubin !

Le Saint disait parfois que Roger était trop beau pour être vraiment intelligent mais il arrivait aussi parfois que Roger saisisse la situation avec une louable promptitude et c'était justement le cas.

Tandis que Conway se hâtait d'enfiler son uniforme, le Saint sortit le conducteur de la Morris et le porta jusqu'à l'arrière de la Desurio où il le jeta sans ménagement.

— Nous lui ferons subir le troisième degré plus tard, déclara-t-il. S'il retrouve ses esprits, ajouta-t-il négligemment.

— De quel côté allons-nous ? demanda Conway. Il ne serait pas sage de revenir à Newton-l'Abbé et on ne peut pas partir au hasard vers la pointe de Cornouailles...

— Pourquoi pas ? répondit le Saint.

Il était capable de se montrer provocant à la moindre tentation.

— La pointe de Cornouailles me semble un endroit des plus romantiques pour établir une base. Il nous en faut bien une quelque part. D'ailleurs, cet endroit offre le grand avantage de n'avoir jamais été utilisé. Notre seule possibilité est de nous diriger vers Tavistock et Okehampton et de là, soit de prendre la route nord de la côte par Barnstaple et Minehead, soit de risquer de passer par Exeter.

— Je croyais que tu voulais être vu.

— C'est le cas mais là où ils ne pourront pas nous arrêter. Ils peuvent nous voir traverser n'importe

26

quel village mais ils peuvent nous bloquer à Exeter — c'est un endroit déjà long à traverser en temps normal.

— Tu dois avoir raison. A moins de retourner à Brook Street, nous n'avons aucun point de chute vers l'est.

— Teal connaît Brook Street, rappela le Saint à son ami. Il est susceptible d'y faire une descente n'importe quand. Mais ta tante célibataire de Stratford-upon-Avon...

— Tu ne la connais pas, riposta Roger en essayant sa casquette.

— Je peux l'imaginer, fit le Saint. Non... Nous épargnerons la sensibilité de Tata. Je comprends très bien qu'elle prenne mal les manœuvres de Moustaches et de sa bande pour récupérer leur otage.

Roger ramassa ses vêtements épars et les rangea dans la Morris. Le Saint le suivit. Une lande de bruyère sauvage s'étendait autour d'eux et un monticule de terre coiffé d'ajoncs les cachait de la route principale.

— Alors, où pouvons-nous aller ? Souviens-toi que tout ce que lira Moustaches dans les journaux sera d'abord connu de la police. Nous avons négligé ce détail.

— Oui, nous avons négligé ce détail, reconnut le Saint songeusement avant de se taire, un pied sur le marchepied de la Morris, les mains profondément enfoncées dans les poches de son pantalon et contemplant la jeune fille d'un regard vide et distrait. Nous avons négligé ce détail, répéta-t-il.

— Eh bien ?

Roger avait posé sa question comme s'il n'avait aucun espoir d'obtenir une réponse sensée mais il n'avait pu s'empêcher de la formuler. Les gens agissaient toujours de cette manière avec le Saint.

Une demi-heure plus tôt (Roger savait que cette durée s'était écoulée parce que le Saint avait fumé deux cigarettes et celui-ci consommait quatre cigarettes à l'heure avec la régularité d'un métronome), ils se dirigeaient tranquillement vers une maison de Newton-l'Abbé dans l'espoir d'être conviés à un bon dîner, de passer une soirée agréable, de prendre un bain et de finir sur une nuit de sommeil bien méritée avant de s'attaquer à l'affaire qui les préoccupait.

A la place — il semblait que ce fût cinq minutes plus tard —, ils avaient risqué leur peau une douzaine de fois dans une poursuite automobile mouvementée, arrêté le fuyard, l'avaient envoyé au tapis, drogué avec son propre mélange et se retrouvaient avec deux corps sur les bras et l'obligation de dresser un plan d'action pour les vingt-quatre heures à venir.

Et Simon Templar était aussi calme que s'il n'y avait eu ni effervescence ni agitation d'aucune sorte.

— D'un autre côté, reprit le Saint, songeur, sans quitter la jeune fille des yeux, nous pourrions revoir légèrement notre stratégie. Il y a un seul endroit dans toute l'Angleterre où la police ne pensera jamais à mettre son nez.

— Où est-ce?

— C'est, répondit le Saint, dans la maison d'oncle Sebastian.

Roger était depuis longtemps habitué aux suggestions les plus saugrenues du Saint. Il était du reste rapide à la détente.

— Tu veux dire que nous devrions retourner là-bas?

— Exactement.

— Mais la gouvernante...

— La gouvernante, le cœur plein d'effroi à l'idée du policier fantôme rôdant dans la région avec ses bottes pleines de pieds, aura fermé la maison et se sera réfugiée au sein de sa famille à Torquay — ou quel que soit l'endroit où sont établis ses pairs. Mais nous allons d'abord dans un pub de ma connaissance à St. Marychurch, pour y prendre des remontants et autres provisions...

— Pas dans cette tenue, se défendit Roger en montrant son costume.

— Dans cette tenue, insista le Saint, mais sans la veste ni la casquette. Tu ferais mieux de garder sur toi le plus de pièces possible de l'uniforme, pour gagner du temps. Tu en auras besoin plus tard. Vite, mon ange, est le mot d'ordre de la soirée. Le cerveau génial est entré en action...

Roger, quelque peu ahuri mais toujours présent, entreprit d'ôter sa tunique. Le Saint l'aida à passer sa veste de civil.

— Je mettrai les autres détails au point sur la route, fit-il. J'ai une idée colossale qui ne pourra être mise en œuvre que si nous conduisons l'oiseau dans un endroit tranquille avant qu'il reprenne connaissance. Je prends la Desurio avec l'oiseau et toi la Morris et la môme. Et en avant; ça va chauffer!

Il prononça ces derniers mots en retournant à la voiture. Il avait presque fait demi-tour sur le chemin de terre tandis que Roger, après avoir jeté sa casquette de policier dans le spider, sautait sur le siège avant de la Morris.

Au moment où Conway arrivait sur la route principale, la Desurio vint à sa hauteur et le Saint se pencha à l'extérieur.

— Elle m'a tout l'air d'être une jolie fille, remarqua-t-il en désignant la passagère du menton. Garde les deux mains sur le volant jusqu'à la maison, fiston!

Puis il s'éloigna avec un geste amusé de la main et Roger lança la Morris à sa suite.

Il faisait encore jour — on était au mois d'août — et les rayons du soleil déclinaient doucement sur la campagne desséchée. La teinte bleu pâle du ciel s'assombrissait lentement. Un courlis traversa le soleil couchant avec un étrange petit gloussement... L'air du soir agissait sur Roger comme un vin capiteux.

Roger se laissa aller.

Il aurait dû se concentrer exclusivement sur l'allure de la Desurio devant lui mais ça n'était pas le cas. Les deux mains religieusement agrippées au volant, il jeta un regard vers la jeune fille à ses côtés. Puis, une main religieusement agrippée au volant, il tendit l'autre et repoussa son petit chapeau. Pour voir, se dit-il, si le courant d'air frais pouvait la ranimer. Des cheveux noirs, lisses et brillants, encadraient un visage qui était tout de travers. Des yeux excentrés, un nez absurde, une bouche ridicule — tout était à l'avenant. Mais elle avait une peau parfaite.

« On ne plaisante pas avec les grandes filles », songea Roger en expert.

Mais, songea-t-il toujours en expert, on pouvait en tirer quelque chose. Adroitement prise en main...

Le pub de St. Marychurch auquel le Saint avait fait référence possédait un propriétaire accommodant qui ne poserait pas trop de questions. On transférerait l'oiseau sonné dans une cave tranquille où l'on pourrait procéder à un interrogatoire impitoyable sans être dérangé. Il faudrait ensuite voir les aménagements de la stratégie secrète du Saint. Et alors, peut-être...

C'était une bouche tout à fait ridicule mais plutôt attirante. Et si un homme ne pouvait tirer une fille d'un imbroglio tragique sans demander et obtenir quelque chose en remerciement des aimables services rendus, il n'avait aucun droit de se considérer comme un homme digne de ce nom.

Roger chercha une cigarette et accéléra. Un sourire discret mais assez satisfait flottait sur ses lèvres.

4

A St. Marychurch, Conway pénétra directement dans le garage de l'hôtel de l'Aigle d'or et découvrit la Desurio du Saint devant lui. Celui-ci était parti mais l'oiseau était toujours à l'arrière de la voiture et dans la même attitude docile. Il avait la bouche ouverte et ronflait avec une énergie affligeante.

Roger sortit la jeune fille de la Morris et la porta jusqu'à une entrée de service qui jouxtait le garage. Tous les clients étaient attablés, aussi personne ne remarqua sa présence. Dans un salon désert, il déposa la jeune fille au creux d'un fauteuil et poursuivit son chemin. Personne ne lui contesta le droit d'abandonner des femmes inconscientes sur son chemin, car il se trouvait que Roger était lui-même et à ses heures perdues l'heureux propriétaire du pub.

Il descendit le couloir jusqu'au hall d'entrée où il découvrit Simon Templar en grande discussion avec la directrice.

— C'était, disait le Saint en bégayant, une c-cuite d'-d'enfer. Champagne. Et des l-liqueurs. De la b-bière. Des tonneaux et des t-tonneaux de bière.

Il ricana bêtement et écarta les bras dans un geste large pour signifier la taille des tonneaux.

— Des t-tonneaux, répéta-t-il. Et on ne rr-entrera pas à la maison avant d-demain matin, pas à la m-maison avant d-d-demain matin, de-main m-a-ah-tin...

Il aperçut Roger et leva la main vers lui tandis qu'il s'emparait passionnément de celle de la directrice de l'autre.

— Et v'là c'bon vieux Roger ! carillonna-t-il. Demandez à c'bon vieux R-Roger si c'était pas une b-bombe d'-d'enfer. Par ç'qu'on r-rentrera pas à la m-maison avant d-demain matin, demain ma-a-ah-tin...

— J'ai peur, intervint Roger en affichant un air de profonde désapprobation sur le visage, que mon ami ne soit passablement éméché.

Le Saint agita un index vacillant devant lui.

— Eméché, moi ? s'insurgea-t-il avec une gravité pompeuse. Roger, mon vieux, ça n'est pas gentil.

Affreusement pas gentil. Évidemment, si tu disais ça de Desmond... Pauvre vieux Desmond, il est complètement évanoui... Je l'ai laissé dans la voiture. Et il r-reviendra p-pas à la maison avant d-demain matin, avant de...

La directrice choquée attira Roger à l'écart.

— Nous ne pouvons pas l'accepter dans cet état, monsieur Conway, protesta-t-elle, bouleversée. Nous avons des clients à l'hôtel...

— Reste-t-il des chambres libres? l'interrompit Roger.

— Pas une. Et les clients vont sortir de la salle à manger d'une minute à l'autre...

— M-mais, coassa le Saint, nous ne r-rentrerons pas à la m-maison avant demain ma-a-ah-tin. N-nous sommes t-tous d'accord là-d-dessus. Servez-nous à boire!

La directrice jeta des regards désespérés autour d'elle.

— Ils sont nombreux?

— Il y en a un autre dans la voiture mais il est hors d'état de nuire.

— Pourquoi ne les jetez-vous pas dehors?

— A boire! chantait le Saint à tue-tête, c'est à boire à boire, à boire. C'est à boire qu'il nous faut-oh-oh-oh!...

Roger lança un coup d'œil dans le couloir. Un homme rougeaud sortit la tête par la porte du fumoir pour voir la source de tout ce raffut. L'ayant découverte, il renifla son indignation au-dessus d'une superbe paire de moustaches blanches et se retira avant de claquer la porte sur lui. La directrice semblait au bord de l'hystérie.

— Il est des nô-ô-tres, entonnait le Saint gaiement concentré sur sa propre sérénade, il a bu son verre comme les au-au-tres...

— Faites quelque chose, monsieur Conway, supplia l'infortunée directrice en se tordant les mains.

— On ne peut pas chanter sans boire, affirma le

Saint à pleine voix comme un homme énonçant une vérité éternelle.

Conway haussa les épaules.

— Je ne peux absolument pas le mettre à la porte, se défendit-il. C'est un ami de longue date et il avait l'intention de rester ici. D'ailleurs, il n'est pas souvent dans cet état.

— Mais où allons-nous le mettre?

— Pourquoi pas dans la cave?

— Quoi? Au milieu des bouteilles?

Roger devait réfléchir vite.

— Il y a la chambre du concierge. Je vais le mettre là, le temps qu'il cuve. L'autre ira avec lui.

— On ne peut pas chanter sans boire, répéta le Saint, pitoyable. C'est impossible. Vraiment, mon vieux.

Conway le prit adroitement par le bras.

— Alors tu ferais mieux de me suivre pour un autre verre, mon pote.

— B-bonne idée, acquiesça le Saint en enlaçant affectueusement Roger par le cou. Allons b-boire. Toute la nuit. Toute cette f-f-fichue nuit. Voilà, répéta-t-il, une sacrée bonne idée.

Il se retourna pour envoyer un baiser dans la direction approximative de la directrice.

— A demain, ma vieille, par'ç'qu'on ne r-rentrera pas à la m-maison avant d-demain matin, pas avant — *hic*!... Roger, vieille pomme, p-pourquoi est-ce que ce sol b-bouge autant? Tu aurais dû t'occuper de...

Ils atteignirent la chambre du concierge — Templar d'un pas titubant criant de vérité — et s'y engouffrèrent. Le Saint retrouva alors tout son aplomb.

— Amène Desmond l'Épave jusqu'ici, mon garçon, fit-il. Qu'as-tu fait de la fille?

— Elle est dans un salon. Étais-tu *vraiment* obligé de te conduire de cette façon?

— Évidemment, mon petit, pour justifier Desmond l'Épave. Va chercher Betty, monte-la dans une des chambres. Invente ce que tu veux, fais l'idiot. Je te fais confiance, mon vieux !

Il poussa hors de la chambre Conway que l'écho étouffé et discordant d'une chanson poursuivit dans le couloir. Roger se sentait comme le loup dissimulé sous une peau de mouton sur le point d'entrer dans la bergerie.

Il sortit l'homme de la voiture du Saint et le transporta à l'intérieur. Seule la directrice, tremblante d'indignation, le vit pénétrer dans le réduit du concierge.

A travers la porte ouverte s'éleva la voix tonitruante du Saint :

— M-mais c'est ce ch-cher vieux Desmond ! Comment vas-tu, D-Desmond, vieille chaussette ? J'étais ju-justement en train de dire...

Roger referma la porte sur eux et se tourna vers la directrice, une expression d'extrême compétence sur le visage.

— Vous disiez que toutes les chambres étaient occupées, miss Cocker ?

— La sept est libre pour l'instant, monsieur. Les clients ne doivent arriver que tard dans la soirée...

— J'ai peur qu'ils n'aient pas de chance. Une de mes amies est arrivée en même temps que nous et je dois absolument lui donner une chambre. Dites à ces gens que vous êtes affreusement désolée mais que vous avez réservé cette chambre deux fois par erreur et indiquez-leur un autre endroit où passer la nuit.

Il pivota sur ses talons et s'engagea dans le couloir. La directrice, pétrifiée, entendit une courte conversation dans laquelle la voix de Roger était la seule audible, et monsieur Conway réapparut à la réception, une jeune fille dans les bras.

— Les hommes des cavernes, disait monsieur Conway avec conviction à sa partenaire, sont revenus à la mode. Et rien ne serait absurde de votre part, chérie.

Il passa rapidement devant une miss Cocker scandalisée et poursuivit jusqu'à l'escalier.

— Aimeriez-vous être portée jusqu'à votre chambre ? M'en aimerez-vous davantage ? Quoi ? Très bien. Je vais vous apprendre toutes les délices de la petite mort. Mais vous attendrez que je vous mette au bain...

Le tournant de l'escalier les cachait à la vue de la directrice mais la conversation se poursuivit. Miss Cocker, clouée sur place, écoutait, consternée...

Elle était au pied des escaliers lorsque Roger redescendit quelques minutes plus tard. Il avait l'impression — au moins en ce qui concernait son personnel — d'avoir ruiné sa réputation à jamais. Ce en quoi il ne se trompait pas.

— Doit-on vous servir à dîner, monsieur Conway ? s'enquit la directrice d'une voix glaciale.

Roger comprit qu'il était sur le point de dépasser les bornes. Il sourit.

— Faites préparer des sandwiches pour vingt, commanda-t-il, et dites au concierge d'aller nous chercher deux douzaines de bières. Nous allons faire un pique-nique au clair de lune sur la lande et... nous ne rentrerons pas avant demain matin.

Il poursuivit son chemin, réconforté par cette victoire morale et retrouva le Saint assis sur le lit du concierge, fumant une cigarette en surveillant l'homme étendu sur le sol à la manière dont un chat consciencieux aurait contemplé une souris endormie.

Il releva les yeux sur Roger qui entrait dans la pièce, un sourcil interrogateur dressé vers lui. Roger hocha la tête.

— Je l'ai laissée à l'autre bout du couloir. Et j'aime autant te dire qu'après ça, ou je la vire ou c'est moi qui démissionne.

— Quelle importance ? lui demanda le Saint sans se démonter. La direction d'un pub n'est pas un métier pour un honnête criminel. Où est Betty ?

— Je l'ai transportée dans la chambre sept.

— Personne ne t'a vu?

— Je ne crois pas.

— Tant mieux. Maintenant, occupons-nous de toi.

Il se leva, tendit brusquement les mains et caressa le menton de Roger. Conway recula, effrayé.

— Qu'est-ce que...

— Calme-toi, coupa le Saint. Il n'y a pas de quoi en faire un plat.

Il montra ses mains à Roger. Les paumes étaient noires de poussière.

— Tu devrais demander à ton groom de mieux balayer sous son lit, remarqua-t-il platement. Enfin pour cette fois, nous l'excuserons. Cela nous permet de te donner une allure vraiment voyou. Maintenant... enlève ton col et ta cravate. Un foulard autour du cou t'ira beaucoup mieux. Ce mouchoir...

Il tira d'un coup sec le carré de soie fantaisie de la poche de Roger.

— Noue-le autour du cou, tu commenceras à te ressembler un peu plus. Déboutonne ta veste et remonte le col à l'arrière, ça te donnera un air plus vrai. Et une casquette négligemment portée, à la façon des étudiants, complétera parfaitement le tableau. Il devrait y en avoir une quelque part. Tous les grooms qui se respectent en ont une pour leur soir de congé...

Il ouvrit la penderie sans aucune gêne, fourragea à l'intérieur et découvrit ce qu'il cherchait.

— Mets-la. Penchée sur une oreille et bien enfoncée sur les yeux. Et voilà le travail!

Roger avait obéi sans broncher. La précipitation heurtée du Saint aurait confondu n'importe qui.

— Mais... pourquoi?

— Facile, lui répondit le Saint. Un passage à tabac en bonne et due forme ferait trop de bruit. Sans compter que nous n'avons pas suffisamment de place. Alors nous allons prendre Desmond par ruse, pour ainsi dire. Je jouerais bien les attrape-nigauds moi-même mais il me reconnaîtra, alors à toi l'honneur. Pendant ce temps, je vais me planquer dans la chambre de Betty et je la mettrai au parfum quand elle se réveillera.

— Oui, mais...

— Je dois laisser à ton imagination le soin de trouver l'histoire que tu serviras à Desmond quand il émergera de son brouillard. L'idée de base, c'est que tu fais partie de la bande et que tu as aussi été capturé. Tu es prisonnier du Saint et tu n'as aucune idée de l'endroit où tu te trouves. Cette chambre ne livrera aucun indice.

Il désigna la petite fenêtre dont l'ouverture, pratiquée à bonne hauteur du sol, ne donnait sur rien de plus instructif qu'un mur aveugle.

— Démodé et insalubre, fit le Saint, mais très utile en cette circonstance. Elle est trop petite pour qu'on puisse y passer. Je vais fermer la porte et prendre la clef avec moi. Dans une demi-heure, j'irai dans la chambre de service au-dessus et je ferai le guet. Dès que tu auras terminé, agite ton mouchoir par cette fenêtre. J'arriverai immédiatement.

— Mais pourquoi toute cette précipitation ? demanda Conway avec le peu de souffle qui lui restait après le tir nourri des instructions du Saint.

— Pour le plan, répondit Simon. Tu as un avantage sur Desmond, qui sera encore dans les vapeurs du somnifère quand il se réveillera. Comme camarade de galère, tu lui arracheras le maximum d'informations, tireras les conclusions qui s'imposent et recommenceras. Le but du jeu étant de découvrir sous quel nom Moustaches est connu des services de police et où Desmond était supposé le retrouver pour lui livrer Betty.

Roger prit la place du Saint sur le lit.

— Et tu veux savoir tout ça cette nuit ?

— Naturellement. C'est cette nuit que Moustaches attend Betty pour compléter la petite réunion de famille. Et c'est ce qu'elle fera, si tu fais ton boulot. Je l'amènerai là-bas moi-même, grossièrement déguisé en Desmond l'Épave. Et au moment où Moustaches découvrira la supercherie, toi, mon vieux haricot, qui nous auras suivis de près dans ton merveilleux costume, surgiras et arrêteras tout le monde. Prenant ainsi Moustaches à son propre piège. Comment tu la trouves, celle-ci ? Elle est bonne, non ?

Roger releva les yeux. Un enthousiasme juvénile illuminait le visage du Saint.

— Elle fera rire, fit-il.

— Mes histoires drôles, commenta le Saint modestement, obtiennent fréquemment ce genre de résultat.

— Et une fois que nous aurons Moustaches...

— Exactement, le mystère de la maison d'oncle Sebastian n'aura plus rien de mystérieux.

Le Saint jeta un rapide coup d'œil autour de lui, ramassa une feuille à l'en-tête de l'hôtel qui traînait sur la table, la plia et la rangea dans sa poche. Puis il tendit le bras et ôta l'unique ampoule de sa douille.

— Il va faire nuit dans peu de temps, expliqua-t-il, un mauvais éclairage te servira. Tout est prêt ?

— N'hésite jamais, fit Conway tranquillement, à me confier ce genre de détails.

C'était l'une des expressions favorites de Roger et le Saint l'accueillit avec un sourire. Roger n'était pas la star de la bande en matière de réflexion purement abstraite mais quand on en venait à l'essentiel, il n'existait pas de meilleur lieutenant que lui dans tout le système solaire.

Le Saint ouvrit la porte avec précaution et passa la tête au-dehors. Le passage était libre. Il se retourna.

— A toi la donne, fit-il. Ne rate aucune passe. Et quand la conversation de notre ami Desmond l'Épave deviendra ennuyeuse, ou s'il commence à flairer le coup, mets-lui un bon coup sur le crâne avec le seau de toilette et agite le drapeau.

— Pas de problème, Saint.

— A bientôt, ma beauté.

— A bientôt, vieux.

Roger entendit la clef tourner puis quitter la serrure mais il n'entendit jamais les pas du Saint s'éloigner dans le couloir. Il alluma une cigarette et s'étendit sur le lit, un œil sur l'homme affalé à ses pieds, tout en se remémorant la bouche la plus attirante qu'il eût jamais vue.

5

Après avoir fini sa cigarette, Conway resta un moment étendu à contempler le plafond. Puis il essaya de voir la trotteuse de sa montre courir autour du cadran. Le temps s'écoulait. La pièce était plongée dans une pénombre grisâtre. Roger bâilla.

Il se demanda avec inquiétude si le Saint n'avait pas sous-estimé les pouvoirs de la drogue contenue dans la seringue hypodermique. Elle n'était qu'à demi pleine quand Simon l'avait trouvée. Et il avait prestement injecté cette moitié restante en supposant que ce qui avait été bon pour l'un le serait autant pour l'autre. Mais rien ne prouvait que la seringue avait jamais été pleine. Betty n'avait peut-être reçu que quelques gouttes, le reste étant soigneusement conservé pour d'éventuelles doses supplémentaires.

Roger médita un instant sur ses chances d'acquittement dans un procès pour meurtre. Il n'avait jamais pu faire preuve de cette tranquille indifférence pour la vie humaine ni du mépris insouciant de la loi qui empêche les gens de s'entre-tuer parce qu'ils ne supportent pas le comportement de leur voisin ou jugent leur physique comme étant une insulte aux standards minimums de l'esthétique. Ce qui était au contraire une des caractéristiques de la charmante candeur de Simon Templar.

Mais les ronflements persistants de Desmond l'Épave, aussi répugnants qu'ils fussent pour un homme délicat, étaient rassurants. Roger alluma une autre cigarette...

Il fallut dix minutes supplémentaires pour que l'homme étendu sur le sol donne un signe de retour à la conscience. Un de ses ronflements se mua en grognement puis le grognement en un gémissement rauque.

Roger pivota sur une épaule pour observer son réveil. L'homme se contracta puis remua une jambe lourdement. Cette brève agitation ne déboucha pourtant que sur un moment d'accalmie. Un autre grognement prit enfin le relais, suivi d'un mouvement plus vigoureux, celui-ci, que le premier.

— Oh, ma tête, se plaignit l'homme dans un gémissement étouffé. Il m'a frappé...

Silence.

Roger se dressa sur un coude.

— Salut, collègue, fit-il.

Nouveau silence. Puis, une voix douloureuse...

— Qui est-ce?

— On dirait qu'ils ne t'ont pas loupé, vieux, fit Roger.

— Il y avait deux hommes dans une voiture, raconta l'homme d'une voix pâteuse et hésitante. L'un d'eux est sorti et m'a frappé. Il a dû nous mettre dans le fossé... Ma tête explose... Pourquoi fait-il si sombre?

— C'est la nuit. T'es resté longtemps évanoui.

Le silence se prolongea cette fois un moment. Roger sentait l'homme lutter pour émerger du brouillard fumeux qui noyait toujours son cerveau. Même s'il réalisait l'importance de l'obscurité dans la réussite de leur supercherie, il aurait donné beaucoup pour avoir un peu de lumière. La voix se fit de nouveau entendre.

— Qui es-tu ?

— J'ai été pris comme toi.

— Carris ?

— Oui.

L'homme se força à percer la pénombre. Roger voyait ses yeux.

— Tu n'as pas la voix de Bill Carris.

— Je suis George Carris, avança Roger. Le frère de Bill.

Il jeta ses jambes hors du lit et traversa la pièce. L'homme s'était redressé pour s'asseoir et Conway passa un bras autour de ses épaules.

— Viens t'allonger sur le lit, proposa-t-il. Tu te sentiras mieux dans quelques minutes.

L'homme le dévisagea avec attention.

— Tu ne ressembles pas à Bill.

— Je ne suis pas Bill mais George.

— Tu devrais ressembler à Bill. Comment es-tu arrivé là ?

— J'étais avec Bill.

— Au téléphone ?

— Oui.

— Bill avait dit qu'il viendrait seul.

— Il a changé d'avis et m'a pris avec lui. Tu crois pouvoir aller jusqu'au lit si je t'aide ?

— J'vais essayer. Ma tête n'arrête pas de tourner...

Roger aida l'homme à se redresser et parvint plus ou moins à le traîner jusqu'au lit où il s'affala mollement. Roger s'assit sur le bord et regarda sa montre. Il y avait plus d'une demi-heure que le Saint l'avait quitté.

— Qui es-tu ? demanda-t-il.

— Pourquoi, tu ne le sais pas ?

— Je suis nouveau. Je ne connais personne de la bande excepté Bill.

— Espèce de menteur ! jeta l'homme. Tu ne fais pas partie de la bande. Tu n'es qu'un...

— Andouille ! rétorqua Roger sur un juron.

Qu'est-ce que... Qu'est-ce que tu crois que je fiche-rais ici s'ils ne m'avaient pas attrapé moi aussi ?

L'homme rumina laborieusement cet argument avant de reprendre, visiblement satisfait du résultat de sa réflexion :

— Où sommes-nous ?

— Je ne sais pas. J'étais évanoui quand ils m'ont jeté là. Comment tu as dit que tu t'appelais, vieux ?

— Dyson. Dyson la Perche. Qui sont ces types dont tu n'arrêtes pas de parler depuis tout à l'heure, hein ?

— La bande du Saint, évidemment.

— Le Saint...

La voix de Dyson se brisa sur une note d'effroi.

— Tu mens ! coassa-t-il.

— C'était le Saint, tu peux me croire. Je l'ai vu...

— Ceux qui ont vu le Saint ne s'en sont jamais tirés pour s'en vanter.

— En tout cas moi, je l'ai vu. Et il a dit qu'il allait nous torturer. J'ai la trouille. Écoute-moi, la Perche, on a intérêt à se tirer d'ici vite fait !

Conway sentit le lit trembler.

— Il ne peut rien me faire, prétendit Dyson d'une voix rauque. Il n'a rien contre moi. Il ne peut pas...

— C'est ce que tu crois. C'est toi qu'il veut. Pour avoir drogué cette fille. Il va te liquider, c'est exacte-ment ce qu'il a dit.

— Ils ne peuvent pas...

Roger Conway, connaissant parfaitement la ter-reur superstitieuse provoquée par la seule évocation du Saint et la légende de cruauté qui s'était attachée à sa personne, n'eut pas besoin de feindre son mépris pour le misérable geignard étendu sur le lit. Il attrapa l'homme par les épaules et le secoua dure-ment.

— Pour l'amour de Dieu, arrête de pleurnicher ! s'écria-t-il. Si tu crois qu'ça nous mènera quelque part...

— Quand il découvrira ce qui s'est passé, le boss viendra à notre secours.

— Il est trop loin pour nous être de quelque utilité, tenta Roger.

— J'étais presque arrivé quand ils m'ont attrapé.

Presque arrivé! Et ils n'étaient qu'à huit kilomètres de Two Bridges. Quelque part sur la lande alors... Le cœur de Roger frémit de triomphe et il s'engouffra dans la brèche ouverte.

— Tu ne sais pas à quelle distance nous sommes maintenant, dit-il. Nous sommes tous les deux restés évanouis plus d'une heure. Et si le boss apprend quoi que ce soit et découvre que le Saint est mêlé à l'affaire, il sera trop occupé à organiser sa propre fuite pour se soucier de nous.

— C'est ce que *tu* crois. Sleat l'Araignée ne laisse pas tomber ses gars.

Sleat l'Araignée! Encore un point... Roger fit le commentaire suivant avec une pointe d'appréhension. Garder ce qui lui paraissait la bonne intonation lui coûtait un effort considérable, étant donné les frémissements de délice incrédule qui parcouraient toutes les fibres de son être.

— Ils ne vont pas tarder à nous apporter à manger. C'est ce qu'ils ont dit. Je suis en meilleure forme que toi. Si tu réussis à les occuper, je devrais pouvoir m'échapper. J'irais retrouver le boss et le reste de la bande. Seulement, dans la lande, je serais incapable de trouver mon chemin tout seul. Et il va bientôt faire nuit...

— Combien de fois es-tu allé là-bas?

— Seulement deux. Et Bill m'accompagnait à chaque fois.

— C'est facile. D'où venais-tu?

— Exeter.

— Par Okehampton?

Quelque chose dans la façon dont la question était posée — une hésitation légère, presque imperceptible — perça l'exultation impatiente de Roger et le mit en garde. Mais il n'avait pas le temps de réfléchir. Les muscles tendus, il relança sa chance.

— Non... Tu sais bien que ça n'est pas le chemin. Nous sommes venus par Moreton Hampstead.

Le souffle de Dyson la Perche se relâcha et glissa de nouveau audible entre ses dents.

— Désolé, vieux. Mais je devais m'assurer que tu étais régulier. Bon, alors tu as parcouru à peu près quinze kilomètres après Moreton Hampstead...

— Oui, je suppose.

— Ce qui t'a conduit à environ trois kilomètres de Two Bridges. Tu ne te souviens pas de la butte avec les trois bosses, à droite de la route près de l'endroit où vous vous êtes arrêtés ?

— C'est à peu près la seule chose dont je me souvienne.

— Alors tu ne peux pas te tromper. A partir de la butte, tu fais deux mètres en direction du nord, et tu continues en contrebas vers le nord-ouest jusqu'à ce que tu arrives à un coin d'ajoncs en forme de « S ». A ce moment-là, tu prends au nord-est et tu y es.

— Mais il fera complètement nuit.

— C'est la pleine lune.

Roger fit semblant de réfléchir.

— Dit comme ça, ça a l'air facile, fit-il, mais...

— C'est facile ! riposta Dyson. Je crois surtout que tu n'as pas l'intention d'y aller. Tu n'es qu'un trouillard ! Tu vas te tirer et personne n'entendra plus jamais parler de toi. Tu n'es qu'un sale petit lâcheur !

— Mais qu'est-ce que tu racontes ?

— Je sais ce que je dis. Je n'ai aucune confiance en toi. Tu essaies simplement de sauver ta peau et avec mon aide en plus. Tu vas te tirer, comme tu l'as dit, et c'est *moi* qui vais les occuper. Merci du service ! Mais maintenant, c'est toi qui m'écoutes. Ou on s'en tire tous les deux ou personne ne s'en va. Je connais les gars dans ton genre. Bill a toujours été un chien galeux et tu es comme lui. Tu...

Roger réalisa brusquement que la conversation de monsieur Dyson devenait incontestablement monotone. Et son cerveau était déjà lancé sur d'autres sujets. Sleat l'Araignée — quelle que soit sa véritable identité. Une butte formée de trois bosses à trois kilomètres de Two Bridges après Moreton Hampstead. Plein nord, une descente, nord-ouest jusqu'à un plan d'ajoncs en « S », tourner au nord-est...

Une bataille, dans cette pièce obscure, pouvait s'avérer une entreprise difficile. Dyson n'était pas un poids léger. Roger s'en était aperçu en l'aidant à s'installer sur le lit. Et il pouvait retrouver rapidement ses forces.

Le Saint, en partant, avait suggéré le seau de toilette. Mais Roger venait de découvrir quelque chose de beaucoup plus efficace, un solide barreau de chaise cassé, que le concierge utilisait apparemment pour éteindre la lumière sans avoir à quitter son lit. Ses doigts se refermèrent amoureusement autour de cet objet.

6

— Désolé de t'avoir fait attendre, s'excusa nonchalamment le Saint dix minutes plus tard, mais ta directrice errait dans le couloir comme un vieux pneu crevé et m'empêchait de passer. Je ne voulais pas risquer qu'elle me voie. Roger, laisse-moi te dire que tu as ruiné sa jeune existence. Et si tu veux mon avis, elle a perdu le sourire pour le restant de ses jours.

Conway pointa son barreau de chaise sur le lit.

— Il dort.

— Il a vidé son sac ?

— Il a craché quelques morceaux. Ça devrait nous suffire.

— Voyons ce que tu as obtenu — comme l'actrice dirait à l'évêque, murmura Simon. Attends une seconde... Jetons d'abord un peu de lumière sur cette affaire.

Il se dirigea vers la douille, sortit l'ampoule de sa poche et la remit en place. Roger tourna l'interrupteur.

Le Saint examina Dyson avec un intérêt soutenu.

— Tu crois qu'il est mort ?

— Non.

— Dommage, regretta le Saint. Nous allons devoir prendre le temps de le ligoter. Rends-toi plus présentable et va me chercher de la corde. Tu me raconteras comment ça s'est passé pendant que je l'attacherai.

Roger baissa son col et remit sa cravate tandis que le Saint, usant de la bonne vieille méthode de la salive et du chiffon, s'escrimait avec un mouchoir sur son visage. Roger partit ensuite remplir sa mission.

Il rencontra miss Cocker dans le couloir.

— Justement, je vous cherchais, monsieur Conway, fit-elle d'une voix lourde de menaces. Où étiez-vous passé ?

— Si je vous le disais, répondit Roger en toute sincérité, vous seriez choquée. Que vouliez-vous ?

— Un gentleman s'est plaint du bruit.

— Eh bien qu'il se plaigne.

— Il veut partir immédiatement.

— Ne le retenez surtout pas, miss Cocker. Est-ce que mes sandwiches et ma bière sont prêts ?

— Il y a une heure qu'ils vous attendent. Mais, monsieur Conway...

— Dites à nos petits camarades d'être patients. Je ne devrais plus en avoir pour très longtemps à présent.

Il s'éloigna avant que la directrice ne retrouve l'usage de la parole. Mais lorsqu'il revint, quelques minutes plus tard, deux coudées de corde solide en poche, la femme l'attendait de pied ferme.

— Monsieur Conway...

— Miss Cocker.

— Je n'ai pas l'habitude d'être traitée de cette façon, vraiment. Je suppose que vous êtes complètement ivre vous-même. J'ai l'habitude d'établissements respectables, vraiment, et je n'ai jamais vu ni entendu de telles choses, vraiment...

— Miss Cocker, la coupa Roger gentiment, je vais vous donner un conseil que je vous engage vivement à suivre : cherchez et trouvez un établissement respectable. Parce que j'ai l'intention de faire de celui-ci un palais du gin pour routiers de seconde zone duquel les gars ne partiront qu'ivres morts aux premières lueurs de l'aube. Sur ce, salut, vieille branche !

Il pénétra dans la chambre du concierge et lui claqua la porte au nez.

Le Saint releva les yeux avec un rapide sourire.

— Des querelles domestiques ?

— J'ai l'habitude d'établissements respectables, vraiment, et je n'ai jamais vu ni entendu de telles choses, vraiment.

— Vous qui êtes un jeune homme tellement tranquille et respectable, monsieur Conway !

— C'était la seule manière de s'en sortir, lui faire croire que j'étais saoul. J'irai la voir demain et me confondrai en excuses. Tiens, voilà ta ficelle.

Le Saint prit la corde et se pencha sur sa tâche avec une efficacité consommée tandis que Roger lui décrivait son entretien avec monsieur Dyson par le menu. Simon l'écouta attentivement mais sa mémoire butait sur le nom de Sleat. Il lui semblait vaguement familier mais c'était tout.

— Sleat l'Araignée, répéta-t-il. Je n'arrive pas à le remettre. Combien d'hommes sont supposés être sur la lande ?

— Je n'ai pas pu le savoir.

— Nous ne sommes que deux. Dicky Tremayne a pris sa voiture pour faire le tour de tous les terrains de golf écossais et je ne sais absolument pas où le joindre. J'ai envoyé Pat et Norman rejoindre la croisière de Terry à Cowes.

— Tu ne la mêlerais de toute manière pas à cette affaire ?

— Même si je le voulais, je n'en aurais pas le temps. Non, mon chérubin. Nous allons devoir nous débrouiller tout seuls, toi et moi, quelles que soient nos chances. Il y a bien une solution...

— Oui ?

Le Saint acheva son dernier nœud, l'éprouva, et recula satisfait avant de se tourner vers Roger.

— Je déteste ça, fit-il, mais c'est le plan le plus pratique. Je connais le numéro de téléphone personnel de Teal. Il doit probablement être chez lui à cette heure. Je vais lui demander si le nom de Sleat lui dit quelque chose. Teal possède la mémoire la plus phénoménale de tout le Yard. Mais cela signifie que je vais devoir lui dire que je suis sur la piste du policier fantôme.

— Il téléphonera alors à la police locale...

— Non. Tu ne connais pas le Département des Enquêtes Criminelles comme moi. Ils sont aussi jaloux qu'une mère poule et ils pensent autant à faire appel à la police locale qu'un chauffeur de Rolls peut songer à une Ford. Je vais demander à Teal de venir en personne par le premier train demain matin pour récolter les spécimens que nous aurons ramassés, et il ne dira rien à âme qui vive, tu peux me croire. Maintenant, sors discrètement et éloigne ta directrice. Emmène-la dans un endroit tranquille et parle-lui. Excuse-toi maintenant, si tu veux, plutôt que demain matin. Mais laisse-moi un bon quart d'heure pour obtenir l'interurbain.

Roger acquiesça.

— Je m'en occupe. Mais ça ne nous laisse que ce soir et la matinée de demain pour agir.

— Ça suffira. Pour attraper Moustaches, découvrir le secret de cette maison et agir en conséquence. Nous devons faire vite et ne pas nous tromper. Vas-y, fiston.

— C'est bon. Où dois-je te retrouver?

— Dans la chambre de Betty, dans à peu près une demi-heure. Maintenant, file!

Roger fila.

Il trouva la directrice bredouillant dans le hall, la conduisit dans le bureau et passa vingt minutes désespérantes avec elle. Il sortit enfin, diminué dans sa dignité mais toujours pourvu d'une directrice et se dirigea vers les escaliers.

De toute la petite bande du Saint, Roger Conway avait toujours été l'ami privilégié de Simon. Il existait de nombreux hommes éparpillés autour du monde qui éprouvaient pour Simon Templar un respect frôlant l'idolâtrie. Il en existait tout autant, sinon plus, pour l'aide desquels le Saint ne se serait arrêté à aucun crime. Mais un lien beaucoup plus solide unissait Roger et le Saint. Et Roger réfléchissait...

Le Saint n'éprouvait une réelle et absolue affection que pour deux personnes au monde — un homme et une femme. L'homme était Roger Conway. La femme, Patricia Holm. Elle était la crème dans son café. Et ces trois-là, comme les trois mousquetaires, s'étaient sortis d'une infinie variété de situations sans que leur trio en souffrît un seul instant.

Et Roger réfléchissait, posément, contrairement à son habitude car il réalisait que la fille qu'il avait vue endormie cet après-midi et qui lui était presque étrangère, l'avait bouleversé beaucoup plus qu'il n'était raisonnable de l'être pour un homme. A supposer qu'elle vienne compléter leur trio et qu'avec elle ils forment les quatre inséparables, les liens qui les unissaient seraient d'autant plus renforcés. Il se construisait peut-être un formidable château en Espagne mais elle l'avait troublé et il en avait parfaitement conscience.

Tel était donc le sujet de ses réflexions et dans le court intervalle de temps qui le séparait de la chambre de la jeune fille, il se trouva dans une humeur inhabituellement soucieuse.

Elle se poudrait le nez.

— Hello ! Roger chéri, le salua-t-elle. Comment allez-vous ?

— Parfaitement bien, lui répondit Roger. Et vous ?

Des lieux communs. Mais c'était réconfortant. Il alluma une cigarette et s'assit sur le lit de façon à apercevoir son visage dans le miroir de la coiffeuse.

Ils discutèrent. Il raconta, pour la seconde fois, l'épisode Dyson et parlèrent ensuite d'autres choses. Elle dit qu'elle trouvait très intelligent de sa part de l'avoir fait monter comme si elle le taquinait et lui la mettait en boîte. Roger se rengorgea. Elle était encore plus jolie les yeux ouverts, songea-t-il.

— Votre ami est très sympathique, remarqua-t-elle.

— Qui ? Le Saint ?

— C'est comme ça que vous l'appelez ? Il s'est présenté sous le nom de Simon.

— Tout le monde l'appelle le Saint.

— Il est beau comme un cheik.

Roger se détendit.

Il voyait que cette aventure la terrorisait mais elle s'en sortait remarquablement bien. Ses nerfs étaient mis à rude épreuve — il sentait sa tension — mais aucune trace de panique ne perçait dans sa voix. Elle lui raconta comment elle avait été droguée.

— Je conduisais quand j'ai senti quelque chose me piquer la jambe. Il m'a montré une pointe qui dépassait de la garniture des sièges et m'a dit que ce devait être ça. Mais une minute ou deux plus tard, j'ai commencé à éprouver d'affreux vertiges. J'ai dû arrêter la voiture. Mes jambes étaient aussi molles que du coton. Voilà tout ce dont je me souviens jusqu'à mon réveil ici et que je découvre Simon — ou le Saint — assis dans ce fauteuil. Il m'a fait passer la tête sous le robinet d'eau froide, m'a de nouveau allongée et m'a tout raconté.

Le temps parut s'envoler. Elle vint s'asseoir à ses côtés, il lui prit la main distraitement et ils continuèrent de bavarder. Elle ne parut pas s'apercevoir de son geste, remarqua-t-il plus tard. Mais il avait à peine commencé les choses sérieuses quand il fut interrompu par un coup discret frappé à la porte. Simon Templar pénétra dans la pièce.

Roger avait pertinemment conscience de l'excentricité de son accoutrement. Il portait toujours le pantalon de policier avec sa veste de civil et son visage affichait encore les marques du maquillage improvisé du Saint. Roger sentait, avec une tristesse déprimante, qu'il n'avait rien d'un cheik. Et le Saint était aussi agressivement soigné, propre et élégant qu'il était possible de l'être.

— Désolé de vous interrompre aussi brutalement, mes tourtereaux, fit-il avec désinvolture, mais j'ai pensé que vous aimeriez être au courant de la petite conversation que je viens d'avoir à cœur ouvert avec Teal. La ruse a parfaitement fonctionné. Il sera à Exeter demain après-midi pour nous payer un verre et se charger des pièces à conviction. Mais d'ici là, Roger, pas de repos pour les braves !

— Tu as découvert quelque chose sur Sleat ?

— Et comment !

Le Saint se tourna vers la jeune fille.

— Dites-moi, ma chère, quand oncle Sebastian a-t-il fait construire sa maison ?

— Je peux vous le dire très précisément, répondit aussitôt Betty, parce que c'était une semaine avant mon anniversaire. J'étais avec lui à Torquay et il m'a emmenée voir les fondations qu'on était en train de creuser.

— Vous étiez venue le voir pendant vos vacances, dit le Saint. Je sais. Mais quelle est la date de cet anniversaire ?

— Le 3 août.

— Il y a cinq jours et vous ne nous avez même pas invités à la fête ! se récria le Saint. Enfin... Une semaine plus tôt nous mène donc au 27 juillet... sept ans plus tôt. Ce qui fait 1922... Roger, mon archange, c'est trop beau pour être vrai!

— Pourquoi?

— Parce que le 5 juillet 1922, Harry Sleat, alias Sleat l'Araignée, a été arrêté à Southampton. Le 1er août 1922, il a été reconnu coupable et condamné à Old Bailey à sept ans de prison pour avoir forcé la chambre forte du *Presidential* et s'être enfui à Plymouth avec cinquante mille livres de diamants en route pour les États-Unis. Toutes ces informations venant de la remarquable mémoire de notre irremplaçable Claud Eustace Teal.

L'absorption de cette cascade d'événements en fit oublier son accoutrement à Roger. Mais son esprit se focalisa instantanément sur une idée claire.

— Les diamants n'ont jamais été retrouvés?

— En toutes ces années, jamais. Mais Moustaches était en cavale avec les brillants *avant* qu'oncle Sebastian ne fasse construire sa maison. Et Moustaches est venu dans la région *avant* que la police ne lui mette la main dessus. En tout cas, il a dû y venir. Moustaches étant un prisonnier insubordonné, il a fait tout son temps ou presque. Il est sorti de prison le 8 juin. Et de quoi s'est-il d'abord préoccupé?

Roger, oubliant momentanément la jeune fille désorientée, sauta sur la brèche.

— Il a essayé d'acheter la maison. Et quand oncle Sebastian a refusé de vendre, il a tenté de l'effrayer. Et quand oncle Sebastian ne s'est pas laissé intimider, il l'a kidnappé avant de s'en prendre ensuite à Betty...

— Parce que Betty est l'héritière d'oncle Sebastian et que si oncle Sebastian s'évanouit dans la nature, la maison revient à sa nièce...

— Voilà pourquoi Moustaches devait les enlever tous les deux, les forcer à signer un acte de vente daté de quelques semaines avant leur disparition...

— Et les tuer ou au moins les retirer de la circulation le temps qu'il prenne possession des lieux, déterre son butin et disparaisse sans laisser de traces. Roger, mon trésor, nous sommes près du but cette fois !

La jeune fille les regardait, déconcertée.

— Je ne comprends pas un mot de ce que vous racontez, fit-elle.

Le Saint se tapa sur la cuisse.

— Remarquable ! s'exclama-t-il avec enthousiasme. C'est l'histoire la plus dingue, la plus tordante que j'aie jamais entendue. Non mais réfléchissez-y un peu ! Moustaches, qui a réussi à s'échapper avec ses cinquante mille livres de carbone cristallisé, les flics sur ses talons, arrive dans un champ en plein cœur de la nuit. Il y enterre profondément ses diamants.

— C'est à ce moment que les flics le rattrapent, poursuivit Roger.

— Et il va en prison assez gaiement, sachant où retrouver sa fortune quand il sera libéré. Et quand il est libéré, prêt à faire la bombe et à en profiter, il découvre que quelqu'un a acheté son champ et fait construire une maison sur son trésor. Oh, Baby, n'est-ce pas réellement génial ?

La jeune fille en resta sans voix. C'était une histoire parfaite. La seule qui expliquât à la fois tous les aspects du mystère et parût suffisamment convaincante. Même si elle semblait tout droit sortie de l'imagination délirante d'un romancier fou. Il fallait l'avaler.

Mais les deux hommes qui lui faisaient face semblaient la trouver parfaitement digeste. Le Saint, les mains sur les hanches, était secoué d'un petit rire silencieux. Roger, d'une nature toujours moins effervescente que le Saint, souriait simplement mais avec délectation.

— Ça sonne bien, fit-il.

— Nous sommes maintenant sur le tremplin pour

le grand saut, mes amis. Les provisions des troupes sont-elles prêtes ?

— Oui.

— Mets-les dans la Desurio. Nous en laisserons la plus grande partie chez Betty pour nos besoins ultérieurs — quand nous rentrerons. N'emportons pour l'instant que ce qu'il nous faut pour dîner. Nous mangerons dans la voiture. Nous laissons la Morris ici. La police doit déjà la rechercher. Toi et Betty pouvez sortir tranquillement. Je vais me glisser discrètement dans la meilleure salle de bains — c'est bien celle qui donne sur le chemin du garage, n'est-ce pas ? Je sauterai par la fenêtre et viendrai vous rejoindre là-bas.

— Et Dyson, qu'est-ce qu'on en fait ? On ne peut tout de même pas le laisser dans la chambre du concierge.

— Retourne le voir et donne-lui un bon coup sur l'oreille. Au moins il restera tranquille, et transporte-le jusqu'à la voiture. Il nous accompagne. Je ne supporterais pas d'être séparé de notre Dyson l'Épave, même une heure.

— Je devrais pouvoir m'en charger, fit Conway. Il y a une porte qui donne sur le jardin juste en face de celle de la chambre du concierge et il fait assez sombre à présent pour que personne ne remarque rien. Si je fais vite.

— Parfait ! Betty, ma chère...

L'abondante volée d'instructions du Saint s'interrompit comme si on avait coupé un robinet. Il se tourna vers la jeune fille stupéfiée, avec son plus charmant sourire.

— Betty, ma chère, le ferez-vous ?

— Que voulez-vous que je fasse ? demanda-t-elle interloquée. Je n'ai pas saisi un traître mot de ce que vous venez de dire.

Le Saint parut décontenancé par sa stupidité. Peu familier (ainsi que dans ses moments de modestie il était généralement prêt à l'admettre) des réactions moins vives des gens normaux, il était invariablement pris de court à la moindre manifestation d'étonnement provoquée par ses paroles ou ses actes. Les perspectives limitées des gens ordinaires et leur manque d'imagination étaient pour lui une source de perpétuelle et douloureuse perplexité.

— Mon cher bouton de rose...

Roger, plus proche du commun des mortels et qui savait grâce à sa propre expérience le choc que pouvait constituer une première confrontation avec Simon Templar dans cet état d'esprit, intervint aimablement.

— Laisse-moi faire, mon vieux.

En des termes moins pittoresquement volcaniques que ceux auxquels le Saint aurait eu recours, mais en un langage néanmoins infiniment plus intelligible à une audience profane, il récapitula les principaux faits de la situation ainsi que ce qu'il savait du plan que Templar avait élaboré. Durant tout ce temps, le Saint l'écouta avec une franche admiration. Simon n'avait jamais cessé d'admirer — et d'envier — sans être capable de l'imiter, le don qu'avait Roger de s'adresser à tous les membres connus de l'espèce humaine et d'en être compris. Les gens devaient s'adapter au Saint; Roger, lui, était capable de s'adapter aux gens.

Il donna son explication et la jeune fille ne manifesta aucune difficulté à le comprendre. Quand il en vint à la question du Saint, il lut sur ses lèvres un refus spontané.

Le Saint intervint de nouveau — il était, en la matière, sûr de lui. Une fois le terrain déblayé, Simon Templar possédait en effet ses propres arguments et savait se montrer persuasif.

— Ma chère Betty...

Ce fut au tour de Roger de l'écouter avec une admiration envieuse.

Vouloir rapporter les propos du Saint en la circonstance serait une tentative aussi vaine qu'illusoire. Les mots nus, privés du charme magique que le Saint pouvait donner à sa voix en certaines occasions et avec une facilité renversante, ne paraîtraient que tristement banals sinon ridicules. Mais le Saint parla. Il plaida, se montra amical, autoritaire, confidentiel, cavalier, sentimental, insolent. Et les changements succédaient aux changements sans le moindre effort et à la vitesse d'un kaléidoscope fou. Ils auraient laissé n'importe quelle jeune fille complètement soumise — et s'interrogeant probablement sur les raisons d'une si totale soumission.

Le tout ne prit que quelques minutes. La jeune fille regardait le Saint les yeux écarquillés et s'entendit demander :

— Vous croyez vraiment que je dois le faire ?

— J'en suis convaincu, lui répondit le Saint comme si le sort de l'humanité en dépendait.

Elle hésita, tourna un regard désespéré vers Roger puis :

— Très bien, décida-t-elle enfin. J'irai. Mais laissez-moi vous dire que je suis terrorisée. Vraiment. Après ce qui s'est passé ce soir...

— Voilà une brave fille, fit le Saint avant de la serrer chaleureusement dans ses bras.

Roger éprouva quelque ombrage à l'idée de partir assener un coup sur l'oreille de monsieur Dyson. N'importe qui aurait fait l'affaire, mais puisque cela devait être monsieur Dyson...

7

— L'endroit, fit le Saint, devrait être parfait.

Il s'étendit de tout son long dans l'herbe humide, surveillant la maison par-dessus la crête d'un monticule des plus opportuns.

Quand on possède une garde-robe aussi fournie que celle du Saint, on peut se permettre de maltraiter un superbe costume léger de soie grise en s'étendant de tout son long dans l'herbe humide. Roger Conway, conscient de la dignité de son uniforme de policier, se contenta de s'abaisser à une position accroupie. La jeune fille se tenait un peu plus loin, à l'abri derrière eux.

Ils voyaient la maison, une masse noire et trapue éclairée par la lune, deux fenêtres tranchant la pénombre de leurs deux rectangles jaunes. Le ciel était aussi limpide qu'une coupe de cristal et, malgré la ferme assurance de monsieur Dyson, le fragment de lune qui traversait le ciel leur avait été durant le parcours d'un moindre secours que les étoiles. A un mile, sur le bord de la route, la Desurio était garée tous feux éteints.

Le Saint se tortilla légèrement pour que la flamme de son allumette reste invisible à ceux du cottage et alluma une cigarette derrière ses mains jointes.

— Autant commencer tout de suite, fit-il. Où est la fille?

Ils rampèrent ensemble vers l'arrière pour la rejoindre.

— Prête, mon petit?

Un souffle de vent humide et froid s'était levé sur la lande. La jeune fille frissonna sous son manteau léger.

— Plus vite vous aurez terminé, mieux je me sentirai.

— Vous serez vite satisfaite, lui répondit le Saint.

Un sourire révéla ses dents éclatantes — seul détail de son expression que ses deux compagnons purent saisir dans l'obscurité. Mais la touche d'impatience qui vibrait dans sa voix se passait de lumière pour être perçue.

— Vous connaissez votre texte? demanda-t-il.

— Je ne sais même pas ce que je dois faire, répondit la jeune fille nerveusement.

— Il en serait de même si vous aviez réellement été kidnappée. Votre texte se résume à ça. De toute manière vous êtes censée être évanouie, victime d'une seconde dose de cette seringue. Roger, tu as ton revolver?

Celui-ci se contenta de tapoter sa poche.

— Et vous, le Saint, vous ne portez pas d'arme? interrogea la jeune fille.

Ils entendirent Simon rire doucement.

— Demandez à Roger si je porte jamais d'arme, répondit-il. Non, je les laisse à d'autres. Personnellement, je ne supporte pas le bruit. Je dispose de ma propre armurerie, beaucoup plus silencieuse et tout aussi efficace. Alors, nous sommes prêts?

— Oui.

— Parfait! Roger, nous comptons sur ton entrée dramatique dans dix minutes. A plus tard!

— A plus tard, Simon... A plus tard, Betty!

Roger tendit la main vers celle de la jeune fille et lui donna une pression rassurante. Un instant plus tard, il était seul.

Le Saint, un bras autour de la taille de Betty pour la soutenir, avança sur le sol inégal du jardin avec l'assurance surprenante d'un félin. Il faisait assez sombre pour que ses vêtements passent inaperçus. Il portait le chapeau mou de monsieur Dyson, profondément enfoncé sur ses yeux, et il avait relevé le col de sa veste pour parfaire son déguisement grossier. Bien avant d'arriver devant la maison, il marchait les genoux fléchis et les épaules voûtées pour imiter au mieux l'allure de monsieur Dyson.

Ce dernier dormait tranquillement dans la Desurio, pieds et poings liés, bâillonné avec son propre mouchoir.

Le Saint ne se souciait pas de prendre plus de précautions. Quand il sentit un fil se rompre sur son menton, il comprit qu'il avait déclenché une alarme mais il poursuivit sans la moindre inquiétude. Seules les lumières des deux fenêtres s'éteignirent brusquement...

Il n'avait aucune idée de l'endroit où se trouvait la porte d'entrée mais son ouïe particulièrement fine l'entendit s'ouvrir alors qu'il était à vingt mètres de la maison. Il s'arrêta immédiatement et resserra son étreinte autour de la taille de la jeune fille. Elle sentit ses lèvres effleurer son oreille.

— Faites la morte, murmura-t-il. Et ne vous inquiétez pas. Nous allons gagner cette manche !

Il se pencha rapidement et la souleva entre ses bras comme une enfant. Un frémissement qui ne devait rien au vent traversa l'herbe non loin de lui et le Saint sourit dans l'obscurité. Il reprit sa progression à pas plus lents...

Puis, juste en face de lui, l'obscurité fut brusquement trouée par un jet de lumière inquisiteur.

Le Saint s'arrêta.

Le col de sa veste camouflait son menton, la jeune fille entre ses bras aidait à dissimuler son corps. Il baissa la tête de sorte que le bord du chapeau plongeât la plus grande partie de son visage dans l'ombre et tourna les yeux loin de l'éclat aveuglant de la torche.

Il y eut une seconde d'hésitation seulement, rompue par le frémissement de l'herbe puis, de derrière la lampe, une voix rude s'éleva — mi-effrayée, mi-soulagée.

— Dyson !

— Qui croyais-tu que c'était ? rétorqua le Saint d'une voix enrouée. Dégage cette lampe !

La lumière clignota puis s'éteignit.

— Pourquoi n'as-tu pas fait le signal ? reprit la voix.

— Pourquoi l'aurais-je fait ?

Un rectangle de lumière troua brusquement la masse sombre de la maison. C'était la porte. Juste à l'intérieur, un homme allumait une lampe à huile. Il tournait le dos au Saint.

Simon se redressa et avança. Une fois à l'intérieur, il posa la jeune fille sur ses pieds et en trois mouvements presque simultanés, ôta son chapeau d'emprunt, rabaissa son col et arrangea sa veste. Mais l'homme était toujours occupé avec la lampe et le cri vint de derrière Simon, de la porte d'entrée.

— C'est pas Dyson !

L'homme à la lampe pivota et poussa une exclamation étouffée.

Simon, avec son habituelle élégance détachée, allumait au mégot de la première une seconde cigarette.

— Non, ça n'est pas Dyson, mon cœur, murmura-t-il. Mais si tu te souviens bien, je n'ai jamais prétendu le contraire. J'aimerais conserver ma réputation de franchise encore quelques instants.

Il releva un regard affable, jetant nonchalamment son mégot sur le sol, et sentit des hommes se rassembler dans son dos. Un, deux, trois, quatre... Deux d'entre eux avaient sorti leurs automatiques. Des forces légèrement plus importantes qu'il ne l'avait sérieusement envisagé. Le visage de Simon Templar afficha un air extraordinairement détendu.

— Eh bien, eh bien, eh bien, fit-il d'une voix traînante. Vise un peu ces moucherons, l'Araignée, je te félicite d'une telle collection.

L'homme qui s'occupait de la lampe avança d'un pas. Sa démarche était étrangement asymétrique — deux pieds tordus s'avançant en traînant l'un après l'autre. Simon comprit immédiatement l'origine de son surnom. L'homme, presque nain mais incroyablement large d'épaules, avait des jambes courtes et déformées et de longs bras de singe. Sur son petit visage ratatiné, des yeux d'un bleu incroyablement délavé clignaient sans cesse sous des sourcils hirsutes.

« Encore un de ces acteurs idolâtrés dont les journaux ne cessent de parler », songea le Saint avec sa légèreté coutumière.

Il sentit l'épaule de la jeune fille frissonner contre la sienne.

L'homme fit un autre pas traînant dans leur direction en les observant de travers. Puis...

— Qui êtes-vous ? demanda-t-il d'une voix aussi rude que sèche.

— Son Altesse Royale, le Prince Ceci de Machin-Chose, répondit le Saint. Et vous, vous êtes monsieur Sleat. Ravi que vous fassiez ma connaissance. Maintenant que les présentations sont faites, qui fait sa révérence le premier, vous ou moi ? J'ai peur d'avoir mis mes manuels de savoir-vivre au clou depuis longtemps...

— Et cette... lady ?

— Miss Betty Aldo. Il me semble que vous vouliez la voir. Je vous l'ai amenée. L'escorte que vous aviez prévue s'est trouvée — hélas — dans l'incapacité de poursuivre son voyage. Je crains que sa tête n'ait heurté un morceau de bois ou quelque chose de ce genre. Quoi qu'il en soit, le pauvre garçon s'est trouvé hors d'état de remplir sa mission. J'ai donc jugé opportun de prendre sa place.

Les yeux pâles posèrent sur lui leur épouvantable regard.

— Alors comme ça vous avez rencontré Dyson ?

— La Perche — je crois — c'est ainsi que ses amis l'appellent. Mais je préfère Desmond l'Épave. Oui, je crois que l'on peut dire que nous sommes — heu — entrés en contact.

Sleat détourna les yeux.

— Fermez la porte.

Simon vit la porte se refermer à double tour.

— Savez-vous, reprit-il sur le ton de la conversation, qu'avant de vous connaître aussi intimement, je vous appelais Moustaches. Et voilà que je découvre que vous vous êtes rasé. Quelle déception ! Enfin, pour parler de choses plus agréables...

— Amenez-les à l'intérieur.

— Pour parler de choses plus agréables, poursuivit le Saint avec affabilité en prenant la main de Betty et se dirigeant sans protester vers la pièce où le nain les conduisait avec la lampe, ne trouvez-vous pas que l'air est particulièrement vivifiant par ici? Et nous avons eu un temps si merveilleux ces derniers jours. Ma tante Ethel dit toujours...

Sleat pivota avec un grognement qui révéla une rangée de dents jaunes.

— Ça suffit maintenant. Dans une minute...

— Mais je ne suis pas encore satisfait — comme dit l'actrice dans une de ses célèbres conversations avec l'évêque, remarqua le Saint. Comme l'actrice donc, j'en veux encore et toujours. Par exemple, quel est votre sport d'intérieur favori? Rami, ludo, les plus belles grimaces...

Sans le moindre avertissement, le nain leva la main et frappa Simon, paume ouverte, sur la bouche.

Un seul homme s'était une fois risqué à un tel affront. Et cette fois, comme la précédente, durant une fulgurante seconde, Simon vit rouge.

Deux hommes pointaient leurs automatiques sur lui. Deux autres se tenaient à côté, armés de lourdes matraques. Mais une batterie d'artillerie et un champ de mines n'auraient pas suffi à freiner le Saint dans cet état d'esprit. Son poing surgit comme un boulet de canon avant même qu'il eût conscience de son geste.

La seconde suivante, il avait recouvré une impassibilité glacée tandis que le nain se relevait, un filet de sang coulant de ses lèvres fendues. Personne d'autre n'avait bougé.

— Une perte de contrôle évidente, murmura le Saint à regret en tapotant négligemment la cendre de sa cigarette. Mais si j'étais toi, je ne recommencerais pas, ma beauté. Tu risquerais de te faire encore mal. Les plaisanteries les plus courtes sont toujours les meilleures, comme dit ma tante Ethel.

— Nom de...

— Chut! l'interrompit le Saint. Pas devant les élèves de catéchèse. Ils pourraient se méprendre. Et si tu veux savoir pourquoi ils ne m'ont pas tiré dessus, la réponse est qu'ils n'en ont pas le cran... Je me trompe, mon chéri ?

Il fit demi-tour vers un des hommes armés et, sans la moindre hâte ni la moindre agressivité, lui donna une chiquenaude méprisante sur le nez. Il vit le doigt de l'homme se raidir sur la détente et repoussa sa main.

— Une seconde ! lança-t-il. Vous feriez mieux d'écouter ce que j'ai à vous dire avant de vous décider à m'abattre. Ou vous pourriez le regretter. Toi aussi, mon mignon !

Il se tourna pour adresser son avertissement à Sleat dont la main droite glissait à sa hanche. Un éclair de fureur traversait les yeux du nain et, durant une seconde, le Saint crut qu'il allait tirer sans attendre de savoir ce qu'il avait à dire. Simon attendit tranquillement.

— Qui êtes-vous ? répéta Sleat d'une voix âpre.

— Je suis l'inspecteur Maxwell de Scotland Yard et je suis venu v...

Sleat leva délibérément la main.

— ... vous chercher pour avoir votre avis sur une question de la plus haute importance, qui était vraiment Bernard Shaw ?... Et, plus sérieusement, je vous conseille d'être prudent avec ce pistolet à bouchon, parce que mes hommes encerclent la maison, et quiconque s'avisera de franchir leur cordon aura intérêt à se faire plus mince qu'une limande avant son petit déjeuner. Ne le prends pas à la légère, pépère !

— Je suis bien tenté de...

— Tirer et prendre le risque des conséquences. Je sais. Mais si j'étais à ta place, je ne m'y hasarderais pas. Je ne m'y hasarderais vraiment pas. Parce que si tu le fais, on te passera la corde au cou et tu seras pendu jusqu'à ce qu'il soit pratiquement impossible de te distinguer d'un cadavre. Non que cette petite longueur supplémentaire à ton cou ne t'embellisse mais à la façon dont ils procèdent...

L'un des hommes armés intervint férocement :

— Dyson a mouchardé...

— Il s'est montré très coopérant, reconnut le Saint méditatif. Comme tous les bavards. Mais le brave petit n'avait pas le choix. Quand nous avons commencé à lui griller la deuxième oreille...

— Votre intelligence est remarquable ! grinça Sleat.

— Très, lui accorda le Saint modestement. Ma tante Ethel dit toujours que...

Sa phrase fut noyée dans un tambourinement violent frappé contre la porte et le Saint s'interrompit avec un sourire.

— Mes hommes se font du souci pour moi. C'est ma faute, je me laisse distraire par cet agréable petit bavardage. Mais dis-moi, l'Araignée, reprit le Saint avec persuasion, ne serait-ce pas un traquenard, par hasard ?

Sleat recula d'un pas.

Ses yeux parcoururent la pièce, comme ceux d'un animal traqué à la recherche d'une issue. Mais il y avait dans son regard quelque chose qui n'avait pas capitulé. Des yeux pâles, sans expression, dans un visage plissé. Quelque chose dans ces yeux disait à Simon, avec une certitude étrange, qu'il n'avait pas l'intention de se laisser prendre...

Ses hommes se tenaient aussi immobiles que des statues. Trois statues, car le quatrième fixait Simon avec une intensité farouche.

Les yeux de Sleat revinrent sur le Saint, vides, délavés. Ce brusque passage d'un éclat de fureur à un vide froid et aveugle provoquait une impression étrange. Simon qui avait attrapé la jeune fille par le bras pour la soutenir, la sentit frémir.

— Ne me regardez pas comme ça, murmura-t-elle, tremblante, du bout des lèvres. C'est horrible...

— Du courage, ma vieille, l'encouragea le Saint. Il n'y peut rien. Si vous aviez une tête comme la sienne...

La porte fut de nouveau ébranlée de coups violents.

Et Sleat revint à la vie. Il fit un geste vers les deux hommes armés.

— Vous, derrière les rideaux ! Toi, tu vises la fille et toi, le type. Et s'ils essaient de lâcher un seul avertissement — si vous les entendez dire quoi que ce soit qui puisse avoir un double sens — tirez ! Compris ?

Les hommes acquiescèrent en silence et se mirent en branle pour exécuter les ordres de leur chef. Sleat se tourna vers les deux autres, les désignant l'un après l'autre d'un doigt nerveux.

— Toi, tu restes ici. Toi, va ouvrir la porte. Et toi...

Il se tourna vers le Saint.

— Toi, tu as entendu mes ordres. Ils seront exécutés. Alors tu vas renvoyer tes hommes. Trouve une excuse, n'importe laquelle.

— Vraiment, mon ange ?

— Oh, oui, à moins que tu ne préfères mourir tout de suite et la fille avec toi. Si tu avais été seul, j'aurais pu craindre que ton sens du devoir l'emporte sur ta prudence. Mais tu as des... responsabilités. Je crois que tu seras discret. Maintenant...

Le Saint entendit s'ouvrir la porte extérieure et un pas lourd et mesuré avancer à l'intérieur. Les rideaux, à trois mètres de lui, tombèrent sur le sol. Baissés, rien ne laissait supposer la présence de quelqu'un derrière eux. Le troisième homme, debout dans un coin, le regardait toujours fixement.

La main de Sleat — celle qui tenait l'automatique — avait glissé dans son dos.

Puis Roger Conway pénétra dans la pièce et fit le salut réglementaire. Le visage du Saint n'avait jamais affiché un air aussi pieux.

— Oui, inspecteur ?

— Je vous demande pardon, chef, fit Roger, guindé, mais le temps que vous nous aviez donné est écoulé. Le sergent Jones m'a envoyé voir si tout allait bien.

— Tout va bien, merci, répondit le Saint. En fait...

Du coin de l'œil, Simon vit alors une étrange lueur éclairer le visage du troisième homme, dans le coin, celui qui n'avait cessé de l'observer depuis le début.

— Chef...

Sleat tourna le cou à cette interruption avec un air menaçant qui aurait dû faire taire son sbire. Mais l'homme ne se tut pas. Il désignait le Saint d'une main tremblante.

— Boss, ça va pas ! La première fois que j'ai vu c'type, c'était quand il a attaqué le *Paradiso*, sur Nassau Street, à New York, y a quatre ans. Ce type, c'est le Saint !

Sleat fit volte-face et pointa son arme sur lui mais le Saint avait déjà levé les mains.

— O.K., mon vieux ! fit-il avec nonchalance à celui qui venait de dévoiler son identité. Tu as gagné le grand prix de la mémoire. Roger, sors cette main de ta poche. Tu es en ce moment même la cible d'une escouade complète d'artilleurs et je ne pense pas qu'ils te croient si tu leur dis que tu ne veux que leur montrer ton extrait de naissance... Mes amis, c'est notre soirée !

8

Conway aperçut l'arme dans la main de Sleat avant même que le Saint ne le mette en garde et il leva les siennes lentement tout en rejoignant Simon Templar. Les rideaux s'écartèrent alors, révélant les hommes dissimulés derrière.

— Et voilà ! fit Sleat durement. J'ai tout de suite compris que vous n'étiez qu'un usurpateur. J'ai connu pas mal de flics...

— Et tu en rencontreras beaucoup d'autres avant la fin de ton existence, fit le Saint d'une voix égale. Tu n'as jamais entendu parler de moi?

— Si.

— Alors tu dois savoir que j'ai des... amis. Trois d'entre eux se trouvent actuellement à l'extérieur. A moins que vous ne quittiez les lieux comme mes prisonniers, vous ne leur échapperez pas. Ils vous traqueront sur la lande, dans la nuit et vous rattraperont les uns après les autres. Aucun d'entre vous n'atteindra la route vivant. Tels sont mes ordres. Tu peux rire de celle-là, mon mignon!

— Tes hommes ne tuent pas.

— Ils ont tué Chastel — tu as entendu parler de lui? Et il y en a beaucoup d'autres dont on n'a jamais entendu parler. Et pour moi, ils te tueront avec aussi peu de compassion qu'ils écraseraient une araignée venimeuse. Si tu ne me crois pas, envoie un de tes hommes, tu verras s'il revient.

C'était du bluff. Un bluff aveugle et désespéré. Mais c'était la seule carte dont Simon disposait pour l'instant. Elle lui donnait au moins quelques secondes de répit pour réfléchir...

Sleat l'observa, la tête inclinée sur le côté, comme pour trouver la faille que trahirait sa voix ou son attitude. Mais le Saint se tenait aussi froidement immobile qu'un iceberg et sa voix était aussi plate et dure qu'un morceau de métal poli.

— Tu es sûr qu'ils vont obéir à tes ordres? demanda Sleat.

— Absolument.

Le nain acquiesça d'un mouvement de tête.

— Alors tu me donnes le moyen de sortir de ton piège. J'avais entendu dire que le Saint était remarquablement intelligent mais on dirait qu'il a aussi ses défaillances. Tu vas les appeler ici, s'il te plaît.

Simon rit doucement.

— Tu as de l'espoir!

— Sinon... Apporte-moi une corde, Wells.

Un des hommes quitta la pièce.

— Il bluffe, fit Roger d'une voix tendue.

— Évidemment, murmura le Saint. Mais ne lui gâche pas son plaisir puisqu'il s'amuse. Un homme aux distractions simples, notre Moustaches. Il me fait penser à...

— Nous allons bientôt savoir qui bluffe, intervint Sleat.

Il se tourna vers l'homme qui lui apportait la corde, la prit et la noua en une petite boucle.

— Tu parlais justement, poursuivit-il tout à sa besogne, de la manière d'allonger les cous. Personnellement, je préfère les serrer à l'horizontale.

Il fit soigneusement son nœud. La boucle était juste assez large pour passer autour de la tête d'une personne. Il la rendit à l'homme qui la lui avait apportée.

— Cette corde, Wells, et le tisonnier. Tu connais le principe du garrot?... Tu passes la boucle autour du cou du condamné et tu tournes avec le tisonnier jusqu'à ce qu'elle se resserre lentement. Très lentement, tu comprends, Wells... Non...

Il s'interrompit et un éclair de cruauté venimeuse traversa ses yeux délavés.

— Non, répéta-t-il. Je me suis trompé. Pas autour du cou du condamné mais de *la* condamnée.

Roger avança mais un homme armé lui barra instantanément le passage en le menaçant. Conway, impuissant devant l'automatique pointé sur sa poitrine, hurla comme un fou.

— Espèce d'ordure immonde...

— Un peu de silence, Roger!

La voix du Saint était extrêmement calme. Un bâton de dynamite peut aussi demeurer calme très longtemps.

Simon se tenait devant Sleat.

— Je reconnais la force de l'argument. Et ma réponse est... qu'il n'y a personne à l'extérieur. C'est la vérité.

— Je vois... Encore du bluff !

— Ça n'est pas un piège, belle gueule.

— Elle était aussi belle avant que tu ne le frappes ? demanda Roger avec mépris.

— Non, répondit le Saint. Avant, c'était une véritable tragédie.

Sleat avança, le visage tordu par un spasme de rage. Le Saint crut un instant qu'il allait de nouveau le gifler et se prépara à encaisser le choc. Mais avec un effort surhumain, l'homme parvint à se contrôler.

— Je m'accommoderais beaucoup plus facilement de ton humour, Templar, fit-il méchamment, si tu étais attaché. Apporte d'autres cordes, Wells.

— Encore un homme courageux, lança Roger d'un ton cassant.

Le Saint sourit. Il était incapable de ne pas sourire.

— Il a le cœur faible, fit-il, et sa grand-mère lui a bien recommandé de ne jamais enlever ses caleçons de laine ni de s'exposer à prendre un coup. Il ne supporterait pas le choc. Mais il vient juste de l'oublier et il aurait pu en mourir. N'aurait-ce pas été une véritable catastrophe ?

L'homme revint à ce moment-là, cette fois avec un gros rouleau de corde autour du bras. Deux autres bandits attrapèrent le Saint.

— Fouillez-le, ordonna Sleat, et ligotez-le.

Le Saint fut fouillé mais il n'en éprouva aucune crainte. Il ne portait jamais d'objets aussi compromettants que des armes à feu —, mais uniquement deux petits couteaux dont il savait se servir avec un talent véritablement surnaturel. Et ils étaient placés en un endroit où seul quelqu'un dans le secret aurait eu l'idée d'aller les chercher. Anna — son favori — était dans un étui attaché à son avant-bras gauche et Belle, le second, dans un étui similaire fixé à son mollet droit sous sa chaussette.

Ils apportèrent une chaise sur laquelle le Saint

s'assit de bon cœur. Lutter n'aurait été qu'un inutile gaspillage d'énergie. Les hommes lui lièrent les mains derrière le dos et attachèrent ses chevilles aux pieds de sa chaise. Simon les encourageait.

— C'est la vingt-septième fois que l'on me ligote de cette façon, fit-il badin, et, d'une manière ou d'une autre, je m'en suis toujours sorti. Exactement comme le héros d'innombrables aventures mouvementées d'un livre d'espionnage. Mais que cela ne vous décourage pas. Efforcez-vous au contraire de faire mieux que vos prédécesseurs... Bien que je craigne que votre technique ne me rappelle celle du vingt-deuxième homme qui a tenté l'opération. Je l'avais surnommé Alfred le Hideux. Ma tante Ethel ne l'a jamais beaucoup apprécié non plus. Il est malheureusement mort. J'ai dû le jeter du toit de la maison quelques heures après. Il est tombé dans le verger et à la saison suivante, tous les arbres ont donné des oranges sanguines...

La voix du Saint était aussi détachée que s'il avait discuté de la prochaine course hippique et aussi joyeusement optimiste que s'il en avait parlé dans la perspective de ramasser une belle somme sur le gagnant du jour. Il agissait ainsi, comme en tout, pour soulager le cœur de ses camarades — et particulièrement celui de la jeune fille. Mais il se serait probablement comporté de la même façon pour son propre plaisir s'il avait été seul. Le Saint ne voyait pas l'intérêt de s'échauffer à tort et à travers. C'était mauvais pour la tension...

Sleat se tenait contre le mur en silence, son automatique à la main. Sa fureur s'était muée en quelque chose d'affreusement calme et dangereux, comme du vitriol frémissant doucement. Pour n'importe qui de moins imprudent que le Saint, cette brusque retenue aurait eu un effet plus paralysant que n'importe quelle démonstration de violence. Simon lui-même sentait un léger picotement glisser le long de sa colonne vertébrale, la caresse d'une main glaciale. Et son sourire se fit plus séra-phique que jamais.

Sleat reprit la parole.

— Maintenant, l'autre homme.

— Roger...

Le sang-froid de la jeune fille se brisa un instant sur ce sanglot. Conway, forcé lui aussi à s'asseoir sur une chaise, tandis que deux hommes lui liaient rapidement bras et jambes, répondit avec empresse-ment.

— Ne vous inquiétez pas, chérie. Ces rats bour-souflés ne peuvent rien me faire. Et quand j'appro-cherai cette tache difforme sur le mur, je...

— Ce sera à toi de l'éliminer, Roger, intervint le Saint d'une voix ferme. Je te le promets. Je me per-mettrai seulement de te recommander une prudente longueur de lame. Il vaut mieux ne pas prendre le risque de toucher cette ordure avec quelque chose de plus court.

La jeune fille, pâle et tremblante, étouffa un san-glot.

— Que vont-ils faire?

— Rien, répondit vivement Roger.

Sleat rangea son automatique dans sa poche.

— Maintenant, la fille, fit-il.

Roger s'escrima désespérément contre ses liens.

— Même elle vous fait peur, hein? rugit-il. Quelle fragilité! Des nouveau-nés seraient encore trop forts pour vous, espèces de poltrons...

— Pourquoi s'énerver, fiston? intervint la voix apaisante de Simon. Tu ne fais qu'effrayer notre amie. Et puis il n'y a vraiment rien qui...

— C'est bon, boss.

C'était Wells. Le ligotage était terminé.

Sleat quitta le mur de sa démarche affreusement traînante.

« Des yeux bleu délavé, songea le Saint. Des yeux bleu délavé. Tous les hommes brutaux — meurtriers ou grands généraux — en ont. Notre heure est venue! »

Sleat ramassa la corde nouée tombée sur le sol et reprit son pas traînant.

Il s'arrêta devant le Saint.

— Tu es l'humoriste attitré de la soirée, je crois, Templar? fit-il.

Sa voix grinçante était haut perchée et inégale.

Simon le fixa tranquillement dans les yeux.

— C'est vrai, répondit-il. C'est en tout cas ma réputation. Et tu es la créature monstrueuse de la ménagerie ambulante, non? Laisse-moi deviner quand débute ton numéro.

Puis il vit ce qui allait se passer et sa voix s'éleva en un ordre désespéré.

— Ne regardez pas, Betty! Moustaches va nous faire une de ses grimaces et vous pourriez en mourir de rire!

— Je n'aime pas votre genre d'humour, fit Sleat sur le même ton en levant la main.

La jeune fille poussa un premier hurlement et ferma les yeux.

Roger, impuissant, jura grossièrement.

Sleat frappait le Saint en murmurant :

— ... ça... et ça... et ça... et ça... et ça... et ça!

Il s'arrêta, essoufflé.

— Et si tu as une autre blague à faire, Templar...

— Seulement, fit le Saint sans le moindre tremblement de voix, que ma tante Ethel connaissait une excellente plaisanterie sur un métallurgiste de Salt Lake City dont la passion était de collectionner les monstres. Il était très heureux jusqu'au jour où il s'est aperçu que tous les cochons avaient de petites queues en tire-bouchon. Il en est presque devenu fou et s'est lancé dans l'exploration de toutes les porcheries des États-Unis, à la recherche d'un cochon ayant une queue toute droite. D'après ce que je sais, il cherche encore. Mais je réalise tout à coup que ta queue...

Sleat, le visage déformé de rage, leva de nouveau la main.

— Tu peux ajouter ça... et ça...

Ce fut Roger qui l'interrompit, avec un blasphème que l'on nous permettra de ne pas imprimer mais qui, pour une raison inconnue, fit mouche.

Le nain se tourna aussitôt vers lui.

— Un autre humoriste ? ricana-t-il. Dans ce cas...

Il frappa une fois, puis deux...

— Espèce d'idiot ! sanglota la jeune fille hystérique, ça ne servira à rien ! Il n'y a personne dehors. Je le sais...

Sleat s'interrompit, la main levée, et la baissa lentement. Et, aussi lentement que son geste, son accès de folie meurtrière se figea sous la surface de son visage, le laissant gris et crispé.

— Il n'y a personne dehors, murmura-t-il. Je voulais en être sûr, au cas où il aurait voulu me tendre un piège. Mais il n'y a personne dehors...

Il lâcha la corde.

— Oh, Roger, Saint...

La jeune fille pleurait faiblement sur sa chaise.

Conway la rassurait d'une voix forte.

— Ne pleurez pas, chérie, ne pleurez pas, je vous en prie ! Ça ne fait que convaincre cette ordure qu'il a gagné. Je n'ai rien. Ne pleurez pas !

— Espèces de brutes ! Espèces de sales brutes !

Sleat se traîna jusqu'à elle et lui rejeta brutalement la tête en arrière.

— Comment sont-ils venus ? lui demanda-t-il.

— En voiture. Elle est sur la route. Et votre homme est à l'intérieur...

— Espèce de petite gourde ! l'interrompit le Saint avec amertume. Vous êtes en train de tout fiche en l'air ! Agenouillez-vous devant lui tant que vous y êtes et implorez cette ordure de nous épargner. Vous finiriez en beauté.

Sleat fit volte-face.

— A moins que vous ne vouliez un peu plus de corde, Templar...

— Merci, rétorqua le Saint d'une voix claire, la

tête haute, un filet de sang tachant son col, cela me fait nettement moins mal que la pensée de toute la boue que tu as dû souiller en y rampant.

Le nain leva la main puis se maîtrisa.

— Je sais tout ce que je voulais savoir, fit-il. Et j'ai des affaires à régler sur-le-champ.

— Disposer du corps de Sebastian Aldo, par exemple ? suggéra le Saint en toute insolence.

— Celui-là, je m'en chargerai en même temps que des vôtres.

— Alors il est mort ? demanda Roger.

— D'une attaque cardiaque.

— Quand il t'a vu, j'imagine ?

— Espèces de lâches, s'écria la jeune fille. Vous l'avez tué...

— J'ai dit qu'il était mort d'une attaque, grogna Sleat. Pourquoi me fatiguerais-je à vous mentir alors qu'aucun d'entre vous ne pourra jamais se servir de ce que je vous dis ? Le choc l'a tué.

— Ça me suffit, coupa le Saint. Cela seul justifie l'ordre d'exécution que j'ai lancé contre toi. Et la sentence sera appliquée.

Sleat hocha la tête. Son regard glissa jusqu'au Saint et un rictus malveillant s'imprima lentement sur son visage ridé.

— Tu n'ordonneras rien du tout, fit-il.

Seule la maigre lumière jaune de la lampe à huile posée sur la table éclairait cette scène macabre. Les quatre hommes se tenaient immobiles contre les murs de la pièce. Simon, Roger et Betty, ligotés sur leurs chaises, étaient assis en ordre croissant. Au centre de la pièce se tenait Sleat, une étrange lueur tremblotant dans ses yeux pâles. Son visage tordu affichait une expression macabre.

Il y eut un moment de silence.

Conway était immobile. Son visage était blanc à l'exception des deux larges taches rouges qui s'étalaient sur ses joues. Dans ses prunelles couvait un brasier ardent. Il tourna les yeux vers le Saint et le vit rejeter la tête en arrière avec son habituelle et indomptable arrogance moqueuse. Son visage était tuméfié et ensanglanté. Il se tourna ensuite vers la jeune fille et croisa son regard. Sa respiration rapide était le seul bruit dans cet instant de silence.

— Je te préviens, fit le Saint d'une voix claire, que quoi que tu fasses — que tu fuies à l'autre bout du monde ou que tu te terres au fond de l'océan — mes amis retrouveront ta trace. Et tu mourras.

Sleat opina de nouveau du chef. On eût dit le balancement de la tête d'une poupée grotesque.

— Tu ne donneras aucun ordre, répéta-t-il. Parce que toi — et ces deux-là — allez mourir. Ce soir.

Le vent ébranla une fenêtre et la flamme de la lampe vacilla comme une âme épuisée.

9

Le Saint sentit l'atmosphère écrasée par une lourdeur démoniaque, sombre et tendue, s'épaissir. Et il rit, du rire d'un enfant qui chassa ce nuage infernal.

— Très dramatique ! se moqua-t-il.

Sa voix troua les ténèbres de la pièce comme un rayon de soleil.

— Mais un peu trop théâtral, mon mignon. Peu importe. Nous ne voyons aucune objection à partager ton petit divertissement. Ton irrésistible gaieté est ta qualité la plus adorable, vois-tu. Et après que Roger t'aura tué, je la commémorerai avec la petite épitaphe que je viens juste de mettre au point. Elle parle d'un « héros jeune et charmant dénommé Sleat dont les plaisirs étaient simples et innocents. Ramasser des fleurs ou épiler ses moustaches suffisait à le rendre heureux des heures durant ». Ça fera très bien sur du marbre...

— Avec une statue au-dessus d'un tas d'ordures, ajouta Roger.

Sleat leur jeta un regard de travers et s'éloigna de sa démarche traînante.

Arrivé dans un coin de la pièce, il ouvrit une boîte posée là. Il se pencha dessus et en sortit ce qui ressemblait aux deux extrémités d'une corde noire. Il recula un peu et les tira vers lui.

— J'ai déjà été en prison, fit-il, et j'ai juré de ne jamais y retourner. J'ai préparé cette planque de telle sorte que si la police devait y venir, ils sauteraient tous avec moi. Vous voyez ces mèches ?

Personne ne répondit.

— Celle-ci — marquée d'un filet coloré — est rapide. Elle brûle en trois secondes. L'autre est lente. Elle brûle en à peu près huit minutes. Et sous le sol se trouvent dix kilos de dynamite. Dans la pièce d'à côté — les yeux vides se posèrent sur la jeune fille — se trouve votre oncle. Il est mort. Vous n'allez pas tarder à le rejoindre. Et il ne restera aucune trace, rien d'autre qu'un cratère dans la lande, dans huit minutes. Je vais allumer la mèche lente, vous voyez...

Les yeux glissèrent le long des silhouettes ligotées, étudièrent — avec un plaisir repoussant — la jeune fille, glacée d'horreur, et les deux hommes, droits sur leurs chaises et inébranlables.

— La mèche lente, répéta durement Sleat. Parce que je ne veux pas sauter avec vous. Et comme ça, vous aurez le temps de méditer sur votre audace. J'entendrai l'explosion de la route et je rirai...

Ce qu'il fit — un bref rire saccadé.

— Si facile, reprit-il, et si rapide. En huit minutes. Des allumettes, Wells... Et tu partiras. Vous partirez tous. Trouve sa voiture et attends-moi avec elle sur la route... J'allume la mèche lente...

L'allumette grésilla entre ses doigts et les hommes sortirent les uns après les autres. Sleat mit la flamme en contact avec la mèche et souffla sur l'extrémité incandescente jusqu'à ce qu'elle brille comme un petit ver luisant. Il la tint levée.

— Vous voyez ? ricana-t-il. J'ai allumé la mèche !

— Oui, répondit Simon machinalement. Tu as allumé la mèche !

Maintenant qu'il n'y avait personne derrière lui, le Saint frottait les liens qui entravaient ses mains sur le dossier de la chaise jusqu'à ce que la corde lui mange la chair des poignets. Il ne pouvait atteindre le couteau sur son mollet mais s'il pouvait détendre suffisamment les cordes de ses poignets — le moindre relâchement suffirait — les doigts de sa main droite pourraient alors atteindre le manche du petit couteau dissimulé sur son avant-bras gauche...

Sleat lâcha la mèche allumée et avança jusqu'au Saint. Il s'approcha jusqu'à frôler le visage de Simon.

— Et tu vas mourir ! se réjouit-il. Pendant que je vais chercher les diamants pour lesquels j'ai donné sept ans de ma vie. Tu es au courant pour les diamants ?... Oui. Je pensais bien que tu le serais. Tu en sais trop, mon ami. Et tu es décidément trop drôle...

Il leva la main pour gifler le Saint mais Simon baissa la tête et reçut le coup sur le front. Sleat ne parut pas s'en apercevoir. Il se tourna vers la fille et lui prit le visage entre les mains.

— Vous êtes belle, commença-t-il.

Elle le fixait dans les yeux.

— Vous ne me faites pas peur, lui jeta-t-elle, méprisante.

— Quel dommage qu'avec une telle beauté vous deviez mourir, poursuivit le nain sur le même ton froid. Mais vous êtes comme les autres — vous en savez trop. Alors je vous fais mes adieux... de cette façon...

Il se pencha brusquement et l'embrassa à pleine bouche. La chaise de Roger Conway craqua sous les efforts surhumains de celui-ci pour s'en délivrer.

— Espèce de porc infâme ! Vermine puante...

Sleat lâcha la jeune fille et se traîna jusqu'à lui.

— Toi aussi, coassa-t-il, tu en sais trop. Et tu es

aussi trop drôle. Je te fais donc mes adieux... comme ça...

Son poing s'abattit sur la bouche de Roger et l'assomma à moitié. Mais à travers le brouillard épais qui envahissait son champ de vision, Roger entendit la voix du Saint retentir comme une trompette.

— Sleat! Attends! Tu as perdu!

Sleat revint en arrière de son pas boiteux. Le bout incandescent de la mèche se faufilait sur le sol nu comme l'œil d'un asticot battant en retraite.

— Pourquoi ai-je perdu?

— Parce que tu as perdu, railla le Saint. Pourquoi? Je te le dirai dans environ six minutes — juste avant l'explosion. Tu auras la satisfaction de savoir, avant de mourir avec nous!

Roger aurait cru en un affreux cauchemar — duquel il aurait pu espérer se réveiller d'un instant à l'autre — s'il n'avait ressenti la souffrance — bien réelle — qui lui lacérait le visage du sourcil au menton. Il ne pouvait qu'imaginer ce que le Saint avait enduré, parce que Simon n'avait rien manifesté. Aucun battement de paupières, même infime, n'avait trahi ses souffrances.

L'atome de lumière rouge semblait courir sur le sol à la vitesse de l'éclair. A moins que Sleat n'ait sous-estimé la longueur de la mèche... ou s'il y en avait une partie cachée sous le plancher...

Il voyait les mains de Simon derrière sa chaise. Il luttait pour libérer ses poignets mais Roger ne pouvait voir le couteau. Les doigts du Saint, glissés dans sa manche gauche, peinaient et tâtonnaient, mais rien ne semblait se passer.

Roger vit tout à coup les doigts de Templar s'arrêter. Il les vit se relâcher et ses mains s'affaisser mollement derrière son dos et il comprit.

Le Saint ne pouvait atteindre son arme!

Pour la première fois de sa carrière, la ruse échouait. Les cordes avaient été trop serrées ou le couteau avait glissé...

Et le sourire du Saint n'avait jamais été aussi détendu.

— Pourquoi ai-je perdu? demanda Sleat une nouvelle fois.

— Tu ne veux pas le savoir? se moqua le Saint.

Le visage de Sleat se convulsa dans un spasme de rage. Il regarda autour de lui et vit le morceau de corde abandonné. Il s'en approcha.

— Et si tu crois que cela peut t'aider, fit la voix calme de Simon, tu te trompes, mon cœur. La torture ne me fera pas pleurnicher. Tu aurais dû savoir...

Le bout grésillant de la mèche n'était qu'à quelques centimètres du trou dans le plancher. Huit centimètres, tout au plus... six...

La tête de Roger se mit à tourner. Le Saint ne pouvait tenter qu'une seule chose. Sa carte maîtresse lui avait été enlevée et il prenait la seule revanche qui lui restait. Distraire suffisamment Sleat pour qu'il n'ait plus le temps de partir et les accompagne dans l'éternité...

Roger cria. Il sut qu'il criait parce qu'il entendit sa propre voix, comme si elle avait appartenu à quelqu'un d'autre, traverser un vide infini. Il cria :

— Betty!

Sa réponse lui parvint d'aussi loin. Une distance infinie semblait les séparer. Il n'y avait plus rien de réel. Rien. Et le ver luisant pénétrait dans son trou, entre les planches.

— Pourquoi ne peux-tu me serrer contre toi? sanglotait la jeune fille d'une manière pathétique.

Roger émit un grondement sourd.

— Je ne peux pas, murmura-t-il. Je ne peux pas. Ils m'ont trop bien attaché. Je ne peux pas bouger. Ma chérie...

A quelques pas — à l'autre bout de la terre — il la voyait. Et il voyait Sleat l'Araignée, se mouvant avec ce qui semblait une lenteur incroyable pour ramasser la corde. Et il voyait le Saint sourire, de son sourire invincible.

Et de nouveau ce rayon de soleil — la voix du Saint — traversa l'air, telle une bannière triomphante.

— C'est trop tard! s'écriait le Saint. Il est trop tard même pour la torture. Tu ne peux plus éteindre la mèche. Elle est partie. Depuis une minute à présent. Tu ne peux plus l'atteindre à moins d'inonder le sol de tes larmes. Et tu n'en as même plus le temps. Il te reste moins de quatre minutes...

Et le cœur du Saint était transporté d'un espoir fou.

C'était donc vrai. La supposition de Roger était exacte. Le Saint avait parié sur le temps. Il s'était démené pour faire oublier à Sleat la mèche et les secondes qui s'écoulaient, dans le seul but de le garder à l'intérieur pour qu'il soit désintégré dans le ciel noir avec ses victimes. Il avait parié sur le temps et il avait gagné.

Il avait vu une issue. L'ombre d'une chance, mais...

— Je dirais qu'il reste trois minutes maintenant, Sleat. Et tu ne verras jamais tes diamants. Tu peux me croire, mon chéri!

Les lèvres de Sleat se retroussèrent en une affreuse grimace.

— Les diamants...

— Je les ai trouvés. Je les ai déterrés avant de venir ici. Me croyais-tu assez stupide pour ne pas y penser? Je les ai mis là où tu ne les trouveras jamais. Dusses-tu les chercher durant le restant de tes jours. Et trois minutes ne suffiront pas pour me faire parler. Même si tu osais t'y risquer...

Sleat s'était jeté sur le trou dans le plancher. Sa main s'y enfonça. Il essayait d'y faire pénétrer son bras mais l'ouverture était trop étroite. Il grattait les planches avec les ongles de son autre main mais elles étaient solides.

C'était un spectacle affreux. L'homme pleurait et bavait comme un animal.

— Ça n'est pas bien, Sleat, raillait le Saint. Tu as trop tardé. Tu ne peux plus atteindre la mèche maintenant — tu ne peux arrêter le destin — et tu vas t'envoler avec nous à moins que tu ne sois très, très rapide! Tu ne reverras jamais ces diamants. Sauf si...

Sleat se contorsionna encore puis s'arrêta et resta un moment immobile, étendu contre le sol. Il sortit alors la main du trou et rampa lentement sur les genoux. Ses yeux semblaient vides et aveugles.

— Sauf si quoi? émit-il dans un souffle presque inaudible.

Le Saint ne perdit pas une seconde. Il avait reconnu de l'ingéniosité dans la folie de Sleat. La plus légère hésitation leur eût été fatale mais le Saint n'hésita pas. Il joua sa dernière carte — celle qui lui avait été envoyée par l'ange gardien qui veillait sur lui en toutes circonstances —, le plus incroyable, le plus inspiré des bluffs de sa carrière, et la joua sans ciller, avec autant de désinvolture que s'il avait lancé une annonce dans une partie de poker.

— A moins que tu ne nous libères et nous fasses sortir d'ici dans deux minutes et demie, répondit calmement le Saint.

10

Roger entendit les mots et son cerveau s'emballa. Il avait compris — il avait immédiatement compris — mais... Le Saint ne pouvait certainement pas... Le Saint ne pouvait absolument pas parier sur un bluff aussi transparent! Même si c'était leur unique chance, le Saint ne pouvait croire que Sleat se laisserait avoir par un mensonge aussi évident!

Un observateur muni d'un chronomètre aurait

noté le silence de quinze secondes qui suivit. A Roger, il lui sembla durer quinze minutes.

Son cauchemar ne l'empêchait cependant pas de penser.

« Il va peut-être réussir. Il va peut-être réussir, se répétait-il avec un espoir fou. Seul le Saint peut réussir une chose pareille. Ça peut marcher. Il a rendu Sleat à moitié fou. Il a commencé dès le début. Il a sans doute complètement perdu la tête maintenant. Depuis qu'il a allumé la mèche, le Saint n'a cessé de le harceler, de l'exciter, de tourner autour de lui comme une guêpe autour d'un taureau. Il l'a mis suffisamment hors de lui pour qu'il tombe dans le piège. Ça doit marcher... Il *faut* que ça marche... »

Sleat se relevait.

Et la guêpe revint une nouvelle fois à la charge.

— Sept ans de ta vie, mon cœur! railla-t-elle. Et tu fais tout pour tuer le seul homme qui pourra jamais te conduire à tes diamants. Incroyable! Je donnerais cher pour que le reste de la bande puisse entendre cette bonne blague. Encore deux minutes, mon cher Sleatty... N'est-ce pas impayable? Je te le demande — si tu as le moindre sens de l'humour — n'est-ce pas impayable?

Et le Saint éclata de rire comme si rien d'autre n'avait d'importance, comme s'ils étaient à des milliers de kilomètres de la bombe programmée pour les réduire en miettes dans moins de cent vingt secondes.

« Ça aurait pu marcher, pensa Roger avec abattement, mais c'est trop tard maintenant. Il a perdu trop de temps. Il ne reste pas l'ombre d'un espoir... »

Puis il vit le visage de Sleat réfléchir. Il le vit avec une clarté stupéfiante, comme à travers une lentille puissante. Il vit le tremblement des paupières et le mince filet de bave glisser au coin de sa bouche. Il vit...

Il vit Sleat sortir un couteau à cran d'arrêt de sa poche et se précipiter sur la chaise du Saint.

Sleat était fou. Il était incontestablement complètement fou. Les sarcasmes aiguisés du Saint, la possibilité que celui-ci eût réellement pris les diamants et qu'il fût le seul à savoir où ils étaient cachés, devaient avoir fait craquer le dernier lambeau desséché qui rattachait son cerveau à la raison. Sleat n'aurait jamais mordu à l'hameçon dans un autre cas. Il n'aurait autrement jamais osé prendre un tel risque.

S'il avait eu tous ses esprits, il aurait su qu'il n'avait pas la moindre chance de libérer le Saint et de rester en sécurité — même avec un revolver dans la main — alors que ses hommes étaient hors de vue. Ou pensait-il, dans la folie que le Saint avait si superbement provoquée, qu'il pouvait réaliser l'impossible?

La jeune fille, Roger, et Simon lui-même, savaient qu'ils ne le sauraient jamais.

Mais les mains du Saint étaient libérées et sa main droite vola vers sa manche gauche tandis que Sleat s'attaquait à son pied droit. Et le pied droit du Saint fut à son tour libéré. Et Sleat, agenouillé devant sa chaise, tranchait sauvagement les cordes qui emprisonnaient la cheville gauche du Saint. Le pied gauche du Saint était...

Simon recula son pied droit et le lança en avant. La jeune fille eut un hoquet.

Sleat, déséquilibré et presque assommé par le coup, tâtonnait à l'aveuglette à la recherche de son revolver qu'il avait un instant posé sur le sol. Le Saint l'écarta du pied et le ramassa vivement.

Roger relâcha sa respiration en un soupir bruyant.

Le couteau du Saint était sorti et Templar se trouva en une seconde à côté de la chaise de Conway. Trois coups rapides de sa lame tranchante et Roger bondissait sur ses pieds, libre, tandis que le nain se jetait sur eux, toutes griffes dehors.

— A toi de jouer, camarade, lança Simon à Roger

comme s'ils disputaient une partie de tennis amicale.

Il fut auprès de la jeune fille en deux pas.

Les cordes tombèrent en un éclair. Et, lui laissant à peine le temps de se mettre debout, Simon la prit par le bras et la tira hors de la pièce. La porte d'entrée s'ouvrit et le Saint désigna l'étendue sombre de la lande.

— Allez-y, ma chère, fit-il. Nous vous rattraperons dans le creux dans une seconde et demie.

— Mais Roger...

Le sourire de Simon découvrit ses dents éclatantes.

— Roger est en train de tuer un homme, poursuivit-il. Et il n'est jamais à son avantage lorsqu'il se livre à ce genre d'activité. Il vaut mieux que vous ne le voyiez pas dans cet état — pour l'avenir de votre idylle. Mais je vais le chercher immédiatement. A tout de suite, mon enfant.

Sur ce, il disparut.

Le Saint était retourné à l'intérieur. Il traversa la pièce qu'ils venaient de quitter pour celle qui lui était contiguë. L'homme étendu sur le lit ne broncha pas à l'entrée du Saint. Simon l'enveloppa dans une couverture et le transporta hors de la pièce.

Roger tremblait sur ses jambes.

— Qui est-ce ? demanda-t-il d'une voix rauque.

— Oncle Sebastian.

Simon jeta un coup d'œil à l'individu affalé dans le coin.

— Il est...

— Oui. Je l'ai tué.

Simon scruta le visage de Roger et vit son expression sinistre. Il prit la parole pour détendre l'atmosphère.

— Maintenant que j'y pense, remarqua-t-il légèrement, c'est très étourdi de ta part. Car il nous faudra chercher les diamants nous-mêmes. Enfin, on ne va pas sécher nos larmes ici. Allons-y !

Ils sortirent rapidement, trébuchant dans l'obscurité sur les touffes d'herbe et les mottes de terre qui jonchaient leur parcours. Même le Saint, malgré son sixième sens campagnard, trébucha une fois et tomba sur un genou. Mais il était sur pied avant même de s'en être aperçu.

Une ombre surgit dans l'obscurité.

— Est-ce vous ?

C'était la voix de Betty.

— C'est nous, répondit le Saint, respectueux des formules, tout en se mettant à l'abri dans le creux du terrain.

Roger les rejoignait alors qu'il se débarrassait de son fardeau.

— Si je peux me permettre de vous interrompre, s'excusa courtoisement le Saint, je vous conseillerai de vous allonger, de vous couvrir la tête, de fermer la bouche et de boucher vos oreilles. Si vous pouvez faire tout ça dans les bras l'un de l'autre, tant mieux. Mais il y a quelque désagrément à...

Au moment où il achevait sa phrase, la terre se mit à trembler, comme s'ils avaient dérangé un géant et que celui-ci se fût mis à rugir d'une voix tonitruante. Et devant eux, l'obscurité fut brusquement déchirée par un éclair incandescent. Un champignon noir et colossal masqua les étoiles scintillantes tandis que l'écho de la détonation roulait d'un bout à l'autre de la nuit.

Puis le champignon noir se transforma en nuage et le nuage creva en une pluie noire torrentielle.

Quelques secondes plus tard, le Saint se redressait et tentait d'ôter la terre qui recouvrait ses vêtements.

— Quelle explosion, mes amis, quelle explosion, murmura-t-il en connaisseur. Si nous avions été là-dedans, je pense qu'en effet nous ne serions pas sur le point de rentrer chez nous.

Ils avancèrent un instant, plongés dans leurs pensées, le Saint avec son fardeau, Roger un bras autour de la taille de la jeune fille.

Après quelques instants le Saint s'arrêta et les jeunes gens stoppèrent avec lui. Il scrutait quelque chose dans l'obscurité, qu'ils ne pouvaient discerner. Puis il se pencha lentement et quand il se redressa, il n'avait plus rien dans les bras.

Il posa la main sur l'épaule de Roger.

— Désolé de vous interrompre encore, fit-il doucement, mais entre nous et la voiture, se trouvent quelques spécimens que j'ai promis de ramener à l'inspecteur-chef Teal. Si vous voulez bien attendre ici une seconde, je vais me glisser jusque-là et compléter ma collection.

Il disparut avec l'agilité silencieuse d'une panthère à l'affût.

Les quatre hommes, en compagnie de monsieur Dyson, étaient regroupés près de la voiture et parlaient à voix basse quand le Saint s'approcha d'eux à la lumière des étoiles, l'automatique de Sleat en main.

Simon détestait les armes à feu mais les circonstances étant ce qu'elles étaient...

— Bonsoir, fit-il avec affabilité.

Le silence s'abattit sur le petit groupe comme une chape de plomb. Puis, pleins d'appréhension, ils se tournèrent avec lenteur pour le découvrir à moins de deux mètres d'eux.

Un des hommes blasphéma d'une voix perçante. Les autres, muets et écrasés d'une terreur superstitieuse, le regardaient fixement. Et le Saint, à travers le sang séché sur son visage, leur souriait comme un ange.

— Je suis le fantôme de Jules César, déclara-t-il d'une voix sépulcrale, et si vous ne mettez pas immédiatement les mains en l'air, je vous transforme en crapauds.

Il s'approcha un peu plus, pour qu'ils puissent le voir distinctement, et ils levèrent lentement les mains. Quels que fussent les doutes qu'ils eussent été tentés de nourrir quant à sa réalité, l'arme qu'il brandissait leur parut suffisamment convaincante. La peur de la mort se lisait sur leurs visages.

Puis le rire disparut des yeux du Saint, n'y laissant qu'un éclat sinistre et impitoyable.

— Vous êtes complices de torture, fit-il, et certainement aussi de meurtre. C'est la raison pour laquelle, comme la loi l'exige, vous irez en prison. Mais quand vous en sortirez — je dirai dans à peu près trois ans — vous vous souviendrez de cette nuit et vous la raconterez à vos amis. Cela vous permettra de ne pas oublier que le Saint est invincible. Mais si je vous rencontre une nouvelle fois...

Il se tut un instant.

— Si je vous rencontre une nouvelle fois, reprit-il, et il balaya la lande d'un geste de la main, vous pourriez rejoindre votre chef. Je n'aime pas les gens de votre espèce...

» En attendant, acheva-t-il, mettez-vous l'un derrière l'autre et enlevez vos vestes et vos bretelles. Vos pantalons tiendront par l'intervention du Saint-Esprit. Exécution !

Pendant que ses ordres en apparence excentriques étaient scrupuleusement suivis, il appela Roger et lui donna ses instructions. Une par une, les bretelles furent utilisées pour leur lier les mains derrière le dos, et leurs vestes, nouées par les manches, leur entravèrent les jambes.

— Une bonne journée de travail, conclut le Saint lorsque l'opération fut achevée, mais...

Roger lui jeta un rapide coup d'œil entendu et la jeune fille tendit la main.

— J'avais oublié...

— Une bonne journée de travail mais difficile, reprit le Saint faiblement en s'adossant à la voiture.

Conway conduisit.

Les prisonniers furent livrés à la police de Torquay où ils attendraient le lendemain le plaisir de rencontrer l'inspecteur Teal. Suivit une visite à un sympathique médecin sur la route de St. Marychurch. Ils arrivèrent enfin à l'hôtel de l'Aigle d'or où le Saint réclama une bière à cor et à cri.

La directrice n'était pas couchée.

— Monsieur Conway...

— Miss Cocker.

— Je pensais... Pourquoi...

— Non, la coupa Roger. Si je raconte cette histoire encore une fois ce soir, je hurle.

— Et moi, je fonds en larmes et je demande qu'on m'emporte, renchérit le Saint en s'effondrant dans le premier fauteuil venu. Cette bande d'idiots au commissariat a failli me rendre chèvre avec ses questions stupides. Je me demande encore comment j'ai pu les convaincre de ne pas nous enfermer avec nos prisonniers. Qu'on m'apporte de la bière, pour l'amour du ciel!

Il fallut un certain temps pour convaincre la directrice que le Saint avait suffisamment recouvré ses esprits pour être autorisé à boire, mais ils y parvinrent. Simon avala un litre de bière comme un petit verre d'eau un jour de canicule puis se dressa sur ses pieds avec un bâillement.

— Roger, fit-il, si tu te dépêches de mettre Betty au lit, nous pourrons y aller.

Roger le dévisagea sans comprendre.

— Y aller? répéta-t-il.

— Oui, répondit le Saint. Tu sais « aller », le contraire de « venir ». Il reste un détail que j'ai particulièrement envie de régler ce soir.

— Comme l'évêque dirait à l'actrice, murmura la jeune fille.

Le Saint la contempla gravement.

— Betty, ma vieille, fit-il enfin, vous ferez l'affaire. S'il le désire, j'autorise Roger à tomber amoureux de vous. Ces cinq mots prouvent à quel point vous êtes l'Une d'entre Nous. Je dirais la même chose de n'importe quelle jeune fille qui aurait traversé toutes les épreuves que vous avez traversées ce soir...

— Mais, objecta Roger, tu n'as quand même pas l'intention de retourner à Newton-l'Abbé maintenant ?

Simon se tourna vers lui.

— Quand alors ? demanda-t-il. Teal arrive demain. De toute manière, nous ne pouvons pas retourner ce jardin à coups de bêche en plein jour et passer pour des mineurs à la retraite, nostalgiques de leurs années de labeur alors que l'endroit est censé être fermé et abandonné. C'est ce soir ou jamais, fiston — et j'ai le sentiment que nous avons bien mérité ces diamants. Quarante-cinq mille livres pour les œuvres de charité et les dix pour cent restants comme honoraires. Ce qui fait mille deux cent cinquante livres chacun pour Dicky Tremayne, Norman Kent, toi et moi. La rançon de la gloire !

Nous devons à présent préciser qu'à exactement 4 h 17 ce matin-là, la bêche du Saint heurta quelque chose de résistant mais de mou et son cri fit accourir Roger de l'autre côté du jardin. Ils ouvrirent ensemble le sac de cuir souple et en examinèrent les pierres à la lumière d'une lampe torche.

A précisément 4 h 19, leur propre lumière fut éclipsée par une autre qui tomba sur eux du fond de l'obscurité. Une voix familière s'éleva de l'ombre :

— Il est bien tôt pour que vous soyez déjà levé, monsieur Templar.

Le Saint referma le sac et se releva avec un soupir.

— Tard, corrigea-t-il, c'est sans doute ce que vous vouliez dire. Teal, vous avez la faculté remarquable de vous trouver toujours au bon endroit.

— Je ne pouvais pas attendre, répondit l'inspecteur-chef Teal d'une voix ensommeillée. Je suis resté éveillé à me demander sur quel coup vous étiez. Alors j'ai pris ma voiture et je suis venu jusqu'ici. Rentrons dans la maison pour une petite conversation.

— Oui, rentrons dans la maison, fit le Saint sans le moindre enthousiasme.

Ils entrèrent donc à l'intérieur et Simon dut encore livrer bataille. Teal écouta — il était excellent public —, mâchonnant ses sucreries favorites avec monotonie. Il ne fit aucune interruption avant la fin de son récit.

— Et qu'est-il arrivé à Sleat?

Simon le regarda dans les yeux.

— En voyant Roger en pleine lumière, commença-t-il, Sleat fut si bouleversé par sa beauté qu'il en fit une attaque et mourut sur-le-champ. Ce fut une scène extrêmement pénible. Quoi qu'il en soit, nous n'avions pas le temps de l'enlever, aussi a-t-il sauté dans l'explosion. Et j'ai bien peur que vous ne retrouviez de lui que ses bottes et ses boutons de culotte. J'en suis sincèrement désolé. Ce sera difficile pour le coroner.

Teal hocha la tête comme un mandarin.

— Je vous crois, fit-il endormi. D'autres ne le feraient pas mais moi oui. Il n'y a aucune preuve.

— Non, fit le Saint détendu, il n'y a aucune preuve.

Teal se mit lourdement sur pied et se dirigea jusqu'à la fenêtre. La première lueur pâle et argentée de l'aube traversait le ciel.

— Je pense, dit-il, que nous devrions aller jusqu'à l'hôtel de monsieur Conway et voir si l'on pourrait nous servir un petit déjeuner, en dépit de l'heure matinale.

Et plus tard, comme le veut l'histoire — détail que la presse n'a pas eu l'opportunité de connaître — Teal en personne, accompagné du Saint, déposa le sac de diamants au commissariat central d'Exeter, en même temps qu'il y transférait les prisonniers du Saint pour attendre leur prochaine comparution aux assises.

— Vous ne repartez pas aujourd'hui? s'informa le Saint avec sollicitude.

— Non, demain, répondit Teal d'une voix sinistre de monotonie. C'est pourquoi j'ai préféré laisser les diamants ici. Si je les garde à l'Aigle d'or, vos hommes pourraient en avoir des crises de somnambulisme. Je vais demander à monsieur Conway si je peux garder ma chambre ce soir. Il faut enquêter sur l'explosion et j'ai un ou deux autres détails à régler. J'espère que cela ne dérangera personne.

— Nous en serons enchantés, bien au contraire, l'assura sincèrement le Saint.

A neuf heures précises, le lendemain matin, un homme en uniforme de la police métropolitaine se présenta au commissariat central d'Exeter.

— Détective Hawkins, de Scotland Yard, déclara-t-il à l'inspecteur de service. Je suis venu avec l'inspecteur Teal hier soir. Il m'a envoyé chercher les diamants qu'il a laissés hier. Je dois le retrouver à la gare.

— Vous avez un ordre écrit?

Le policier lui tendit un papier. L'inspecteur en prit connaissance puis il ouvrit le coffre et en sortit le sac.

— Vous feriez mieux d'en prendre soin, conseilla-t-il. Ça vaut cinquante mille livres.

— Mince alors! s'exclama le policier avec une crainte bien compréhensible.

Le matin suivant, Simon Templar prenait son petit déjeuner en compagnie, lorsque l'inspecteur-chef Teal se présenta à son domicile.

— Prenez un œuf, invita Simon avec hospitalité. Prenez-en même deux. Ne partez pas, Orace, nous pourrions avoir besoin de vos services.

Teal s'effondra dans un fauteuil et déplia une nouvelle tablette de chewing-gum.

— Je viens chercher les diamants, annonça-t-il platement.

— Désolé, répondit le Saint, mais Hatton Garden n'a pas changé de place et Brook Street reste encore à l'écart de ce sordide commerce. Vous avez dû vous tromper de bus.

— Votre ami, monsieur Conway...

— Nous a temporairement quitté. Il a rencontré une jeune fille. Vous savez ce que sont ces jeunes hommes. Mais si je peux lui transmettre un message...

— Vous êtes censés être rentrés à Londres vendredi soir, tous les deux, n'est-ce pas ? demanda Teal paresseusement.

Simon dressa un sourcil.

— Pourquoi « censés » ? s'enquit-il innocemment.

— Quelqu'un d'autre que vous est-il au courant ?

Le Saint s'adossa à son siège.

— A huit heures samedi matin, hier, commença-t-il, une partie d'entre nous prenait le petit déjeuner ici même. C'est une cérémonie que nous respectons religieusement tous les quatre anniversaires de la mort de Richard Arkwright*. Après le petit déjeuner, nous sortons en chapeau de paille et chaussures de sport et nous allons faire naviguer des bateaux en papier sur le plan d'eau. Cela fait partie de la cérémonie.

— Vraiment ? lâcha monsieur Teal engourdi.

— A ce petit déjeuner, poursuivit le Saint, étaient présents monsieur Conway, miss Aldo, qui ne sont pas là pour vous le dire eux-mêmes, ainsi que ceux que vous voyez renouveler l'expérience ce matin — miss Patricia Holm et monsieur Richard Tremayne. Orace nous servait. Demandez-leur si ça n'est pas l'exacte vérité.

— Je vois, fit monsieur Teal comme s'il ne voyait rien du tout.

— En conséquence, ajouta le Saint spécieux, nous ne pouvions nous trouver à Exeter à neuf heures du matin samedi, heure à laquelle un mysté-

* Sir Richard Arkwright, mécanicien anglais (1732-1792). Il mit en pratique une machine semi-mécanique à filer le coton, contribuant ainsi à fonder l'industrie cotonnière anglaise.

rieux policier a emporté le butin du commissariat grâce à un ordre contrefait.

— Comment êtes-vous au courant de ça? demanda Teal avec ce qui était de sa part une vivacité étonnante.

— De quoi?

— Du policier parti avec les diamants.

— Mais, se récria le Saint indigné, je n'ai jamais parlé de policier ni de diamants. N'est-ce pas, Pat?... N'est-ce pas, Dicky?... N'est-ce pas, Orace?...

Les trois personnes nommées hochèrent solennellement la tête.

— Vous voyez! s'exclama le Saint. Vous avez dû rêver, Teal!

L'inspecteur-chef inclina très lentement la tête.

— Je vois, fit-il de sa voix prodigieusement fatiguée. Je vois. C'est ce qu'on appelle en langage technique un alibi.

— Est-ce que ça suffira pour aujourd'hui, Teal? insinua le Saint avec ironie.

La mâchoire de monsieur Teal poursuivit son oscillation rythmée. Sa tête ronde n'avait cessé de remuer. Il semblait, comme toujours en de telles circonstances, sur le point de tomber d'un ennui magistral dans un profond sommeil.

— Oui, ça suffira, répondit l'inspecteur-chef Teal avec lassitude. Ça suffira!

Librio est une collection de livres à 10F réunissant plus de 100 textes d'auteurs classiques et contemporains.
Toutes les œuvres sont en texte intégral.

Tous les genres y sont représentés : roman, nouvelles, théâtre, poésie.

Alphonse Allais
L'affaire Blaireau
A l'œil

Isaac Asimov
La pierre parlante

Richard Bach
Jonathan Livingston
le goéland

Honoré de Balzac
Le colonel Chabert

Charles Baudelaire
Les Fleurs du Mal

Beaumarchais
Le barbier de Séville

René Belletto
Le temps mort
- L' homme de main
- La vie rêvée

Pierre Benoit
Le soleil de minuit

Bernardin de Saint-Pierre
Paul et Virginie

André Beucler
Gueule d'amour

Alphonse Boudard
Une bonne affaire
Outrage aux mœurs

Ray Bradbury
Celui qui attend

John Buchan
Les 39 marches

Francis Carco
Rien qu'une femme

Calderón
La vie est un songe

Jacques Cazotte
Le diable amoureux

Muriel Cerf
Amérindiennes

Jean-Pierre Chabrol
Contes à mi-voix
- La soupe de la mamée
- La rencontre de Clotilde

Leslie Charteris
Le Saint entre en scène

Georges-Olivier Châteaureynaud
Le jardin dans l'île

Andrée Chedid
Le sixième jour
L'enfant multiple

Arthur C. Clarke
Les neuf milliards
de noms de Dieu

Bernard Clavel
Tiennot
L'homme du Labrador

Jean Cocteau
Orphée

Colette
Le blé en herbe
La fin de Chéri
L'entrave

Corneille
Le Cid

Raymond Cousse
Stratégie pour deux
jambons

Pierre Dac
Dico franco-loufoque

Didier Daeninckx
Autres lieux

Alphonse Daudet
Lettres de mon moulin
Sapho

Charles Dickens
Un chant de Noël

Denis Diderot
Le neveu de Rameau

Philippe Djian
Crocodiles

Fiodor Dostoïevski
L'éternel mari

Arthur Conan Doyle
Sherlock Holmes
- La bande mouchetée
- Le rituel des Musgrave
- La cycliste solitaire
- Une étude en rouge
- Les six Napoléons
- Le chien des Baskerville
- Un scandale en Bohême

Alexandre Dumas
La femme au collier
de velours

Claude Farrère
La maison des hommes
vivants

Gustave Flaubert
Trois contes

Anatole France
Le livre de mon ami

Théophile Gautier
Le roman de la momie

Genèse (La)

Goethe
Faust

Albrecht Goes
Jusqu'à l'aube

Nicolas Gogol
Le journal d'un fou

Frédérique Hébrard
Le mois de septembre

Victor Hugo
Le dernier jour
d'un condamné

Jean-Charles
La foire aux cancres

Franz Kafka
La métamorphose

Stephen King
Le singe
La ballade de la
balle élastique
La ligne verte
(en 6 épisodes)

Madame de La Fayette
La Princesse de Clèves

Jean de La Fontaine
Le lièvre et la tortue
et autres fables

Alphonse de
Lamartine
Graziella

Gaston Leroux
Le fauteuil hanté

Longus
Daphnis et Chloé

Pierre Louÿs
La Femme et le Pantin

Howard P. Lovecraft
Les Autres Dieux

Arthur Machen
Le grand dieu Pan

Stéphane Mallarmé
Poésie

Félicien Marceau
Le voyage de noce de
Figaro

Guy de Maupassant
Le Horla
Boule de Suif
Une partie de campagne
La maison Tellier
Une vie

François Mauriac
Un adolescent d'autrefois

Prosper Mérimée
Carmen
Mateo Falcone

Molière
Dom Juan

Alberto Moravia
Le mépris

Alfred de Musset
Les caprices de Marianne

Gérard de Nerval
Aurélia

Ovide
L'art d'aimer

Charles Perrault
Contes de ma mère l'Oye

Platon
Le banquet

Edgar Allan Poe
Double assassinat dans
la rue Morgue
Le scarabée d'or

Alexandre Pouchkine
La fille du capitaine
La dame de pique

Abbé Prévost
Manon Lescaut

Ellery Queen
Le char de Phaéton
La course au trésor

Raymond Radiguet
Le diable au corps

Vincent Ravalec
Du pain pour les pauvres

Jean Ray
Harry Dickson
- Le châtiment des Foyle
- Les étoiles de la mort
- Le fauteuil 27
- La terrible nuit du Zoo
- Le temple de fer
- Le lit du diable

Jules Renard
Poil de Carotte
Histoires naturelles

Arthur Rimbaud
Le bateau ivre

Edmond Rostand
Cyrano de Bergerac

Marquis de Sade
Le président mystifié

George Sand
La mare au diable

Erich Segal
Love Story

William Shakespeare
Roméo et Juliette
Hamlet
Othello

Sophocle
Œdipe roi

Stendhal
L'abbesse de Castro

Robert Louis
Stevenson
Olalla des Montagnes
Le cas étrange du
Dr Jekyll et de M. Hyde

Bram Stoker
L'enterrement
des rats

Erich Segal
Love Story

Anton Tchekhov
La dame au petit chien

Ivan Tourgueniev
Premier amour

Henri Troyat
La neige en deuil
Le geste d'Eve
La pierre, la feuille et
les ciseaux
La rouquine

Albert t'Serstevens
L'or du Cristobal
Taïa

Paul Verlaine
Poèmes saturniens
suivi des Fêtes galantes

Jules Verne
Les cinq cents millions
de la Bégum
Les forceurs de blocus

Vladimir Volkoff
Nouvelles américaines
- Un homme juste

Voltaire
Candide
Zadig ou la Destinée

Emile Zola
La mort d'Olivier
Bécaille
Naïs

Histoire de Sindbad
le Marin

Librio

———

Le livre à 10ᶠ

158

Achevé d'imprimer en Europe
à Pössneck (Thuringe, Allemagne)
en février 1997 pour le compte de EJL
84, rue de Grenelle 75007 Paris
Dépôt légal février 1997

Diffusion France et étranger : Flammarion